D1285096

L'ARABE DU FUTUR EST ÉDITÉ
DANS LES LANGUES SUIVANTES

allemand	KNAUS	*Munich*
américain	METROPOLITAN BOOKS	*New-York*
anglais	TWO ROADS	*Londres*
brésilien	INTRÍNSECA	*Rio de Janeiro*
catalan	SALAMANDRA	*Barcelone*
coréen	HUMANIST	*Séoul*
croate	FIBRA	*Zagreb*
danois	FORLAGET COBOLT	*Copenhague*
espagnol	SALAMANDRA	*Barcelone*
finnois	WSOY	*Helsinki*
français	ALLARY	*Paris*
italien	RIZZOLI LIZARD	*Milan*
néerlandais	DE GEUS	*Breda*
norvégien	MINUSKEL FORLAG	*Oslo*
polonais	KULTURA GNIEWU	*Varsovie*
portugais	LEYA	*Alfragide*
roumain	EDITURA ART	*Bucarest*
russe	BOOM KNIGA	*Saint-Pétersbourg*
serbe	SYSTEMS COMICS	*Belgrade*
slovène	LUD LITERATURA	*Ljubljana*
suédois	COBOLT FÖRLAG	*Trosa*
tchèque	BAOBAB	*Prague*

Riad Sattouf

L'ARABE DU FUTUR 3

Une jeunesse au Moyen-Orient (1985-1987)

***

Allary Éditions

Chapitre 11

Je m'appelle Riad. En 1985, j'avais 7 ans et j'étais remarquable.

Cheveux blond-châtain frisant légèrement

Sent bon le shampooing à la camomille rapporté de France

Sixième version du cartable en carton

Air un peu satisfait

Extrêmement propret

Maigrichon à cause des gastros

Nous habitions toujours à Ter Maaleh en Syrie, avec mes parents et mon petit frère.

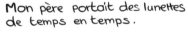

La maison n'avait pas changé extérieurement

L'intérieur avait été peint en bleu clair et ma mère avait accroché des tableaux aux murs du salon.

Elle avait terminé la grande tapisserie

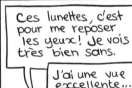

J'ai mis trois ans à la faire et voilà, maintenant elle est là.

Mon père portait des lunettes de temps en temps.

Il donnait toujours quelques heures de cours par semaine à Damas

Ces lunettes, c'est pour me reposer les yeux ! Je vois très bien sans.

J'ai une vue excellente...

Il avait un peu vieilli

L'EAU DU ROBINET EST MARRON !

QU'EST-CE QUE J'DONNE À BOIRE AUX GOSSES ?

J'EN AI RAS LE BOL !

Ma mère faisait beaucoup de reproches à mon père sur nos conditions de vie.

Qu'est-ce que j'y peux ? Je vais acheter des bouteilles ! Voilà !

J'ai accroché les tableaux, j'ai peint les murs ! En France tu n'aurais pas une aussi belle maison !

J'en ai marre ! Je veux habiter dans une ville !

On peut pas élever les enfants dans ces conditions !

JE VEUX UNE VOITURE !

UNE VOITURE ?!? TU SAIS LE PRIX DES MERCEDES ?

J'M'EN FOUS DES MERCEDES ACHÈTE UNE PEUGEOT !

UNE VOITURE FRANÇAISE ?!? JAMAIS !

Laisse-moi faire deux récoltes de fruits dans mon champ, et après, on construit la villa !

MAIS NON !

Je veux vivre dans une ville ! DAMAS ! ALEP ! Ou au moins HOMS ! Je n'en peux plus de la vie ici !

Il y a des coupures d'électricité tout le temps, les enfants sont toujours malades ...

Snfff

Bon, je voulais te faire une surprise, mais puisque tu insistes, je vais te le dire.

Je me suis lié d'amitié avec quelqu'un de très très haut placé.

C'est vrai ?

C'est un proche direct du président Assad. Il va m'aider à devenir professeur honoraire et à mieux gagner ma vie.

C'est qui ?

C'est secret.

Il va nous inviter bientôt, tu verras! Tu verras les hommes puissants que je fréquente!

Il faut juste UN PEU DE PATIENCE

Vous, les Françaises, il vous faut tout tout de suite.

Les Syriennes, elles se posent pas de questions.

Elles suivent leur mari, et voilà.

Mon père passait son temps à essayer d'imposer son autorité, mais ma mère lui faisait peur, et il se démenait pour la satisfaire.

On ira visiter Damas avec mon ami!

Il serait temps! En trois ans, on a pas bougé de ce trou!

Et je veux pas visiter, je veux y HABITER.

Mais, et nos vacances à Lattaquié? Le Méridien? Et Palmyre?

Tu parles! On a plus jamais eu de nouvelles du général, alors qu'il habite à 200 mètres! *

Sans compter que j'arrête pas de voir passer ton ex-beau-frère assassin par la fenêtre, et ça me fait peur!

Lorsque mes parents se querellaient, je préférais aller dans notre chambre.

Mon frère Yahya semblait complètement indifférent et inconscient de ce qu'il se passait.

BVVVVRRROUM!!! TUT TUUT!

CLANG

J'adorais plus que tout l'humilier.

HEY! TOUCHE PAS À MES JOUETS SALE TARÉ!

* Voir L'Arabe du futur, tome 2

Maman elle a dit que tu ne devais pas me traiter de taré ! C'est méchant !

TARÉ.

Mon frère avait grandi. Il n'allait pas encore à l'école.

TARÉ TARÉ TARÉ ! TARÉ TARÉ !

TARÉ DÉBILE DE MALADE MENTAL DE TARÉ !

Je l'insultais jusqu'à ce qu'il se mette à pleurer.

Je te déteste gros taré débile dégénéré.

Il était pourtant très gentil et extrêmement mignon.

MAMAAAAN !

Tu vas encore aller me dénoncer, TRAÎTRE !

Riad il m'a encore dit "taré"

MAIS POUR QUI IL SE PREND CELUI-LÀ ?!?

Lâche

RiAD ! COMBIEN DE FOIS JE T'AI DIT DE NE PAS INSULTER TON FRÈRE !

J'ai rien dit, il ment !

C'EST TOI QUI MENS !

Ça m'étonne pas que tu le croies, tu crois tout ce qu'il dit !

C'est le chouchou.

Je dois être adopté.

J'allais terminer ma troisième année à l'école du village. Nous avions déménagé dans un nouveau bâtiment. Il était réservé aux garçons.

Béton fissuré tout neuf

Le champ de mon père était par là

Construit sans toilettes

Tas de ciment abandonné

Portail sans clôture

Cela sentait l'urine et le pin

Les filles allaient dans l'ancienne école, qui était à côté.

Je les voyais passer au loin ...

Comme tous les garçons, je n'avais aucun contact avec elles, et je m'en fichais complètement.

J'étais toujours ami avec Saleem

Le matin, pour chanter l'hymne national, nous étions maintenant accompagnés par un radiocassette poussé à fond.

SALUT À VOUS DÉFENSEURS DE LA PATRIE! NOS NOBLES ESPRITS REFUSENT D'ÊTRE SOUMIS!

J'essayais de chanter plus fort que les autres

11

Comme me l'avait demandé mon père, j'étais le premier de la classe.

Saleem aussi était excellent. Nous étions toujours côte à côte devant

Personne ne voulait s'asseoir à côté de nous

Notre instituteur était une sorte de sosie de James Dean à moustache qui nous idolâtrait.

Allons, sortez tous vos devoirs, que je les vérifie un par un !

VITE !

Regardez tous Riad et Saleem ! Les voici dans toute leur humilité, leurs devoirs présentés devant eux avant même que je ne l'aie demandé, et attendant modestement ma vérification.

Je ne vais même pas vérifier leur travail : inutile.

Ils ont certainement tout fait à la perfection.

Déçus de ne pas être félicités en plus pour leur travail

À force de prendre des coups, les enfants s'étaient endurcis. Ils ne nous aimaient pas du tout.

Leurs regards étaient durs et fixes et il ne fallait absolument pas les croiser

Qui n'a pas fait son travail ? Si vous vous dénoncez, je ne vous donnerai qu'un seul coup de bâton.

Deux seulement ?
DERNIÈRE CHANCE.
Si jamais je passe
parmi vous et que
j'en trouve un qui
n'a pas fait ses
devoirs et ne s'est
pas dénoncé, il est
MORT.

Cela faisait très longtemps
que je ne m'étais pas
fait taper. Il suffisait
tout simplement de faire
tout ce que disait le
maître.

QUOI ? TU NE LES
AS PAS FAITS ET
TU NE T'ES PAS
DÉNONCÉ ?

CHIEN! CLAC!
CHIEN! CLAC!
CHIEN! CLAC!
CHIEN! CLAC!
CRAKK

CHIEN! TU AS
CASSÉ MON
BÂTON AVEC TA
TÊTE D'ÂNE!

Hiii

Je ne comprenais pas qu'on
n'obéisse pas au maître.
C'était facile et beaucoup
moins douloureux que de
lui désobéir.

Hiii PITIÉÉÉÉ SI VOUS AIMEZ
DIEUUU

Tsss

Écoutez-moi tous! Mon bâton vient de se casser! Je veux donc que samedi, vous me rapportiez tous un bâton chacun.

Je choisirai le plus résistant et le plus pratique...

...et ça deviendra mon bâton.

TAP
TAP

Nous passions les récrés près des profs car les bagarres étaient permanentes.

Nous regardions nos pieds pour éviter les regards des autres garçons

Les élèves jouaient au foot à trente avec un seul ballon.

Crâne rasé à cause des poux

Mais parfois, malgré tous nos efforts, on croisait le regard d'un de ces types.

?

Il attendait que le prof s'éloigne et m'apostrophait.

Psst le Français! Tu m'as regardé?

Parle français tout de suite ou je te tue à la sortie!

Bien sûr!

CHABADI-RABADI ZEU-ZEU BADA CHABAZI LALA RHEUFEUFEU!

HAHAHA!

KHIHIKHHH

Il parle français on dirait qu'il vomit!

CHABADI RABADI!

Allez dégage!

Hff Hff

Je savais à peu près comment faire pour survivre.

Mon père était plutôt fier de mes résultats. J'avais 10/10 de moyenne générale.

C'est bien, c'est bien, mais le souci que tu as, c'est que quand on a 10/10, on ne peut plus monter...

On ne peut que redescendre...

GRATT GRATT

Enfin, c'est bien. Continue comme ça. Ne fais pas attention aux autres et obéis toujours au maître.

Les gens détestent les meilleurs qu'eux. N'oublie jamais ça.

Si tu es premier, ça signifie que tu es plus brillant et plus intelligent que les autres.

Et là, il faut faire attention.

Car les autres, un jour, en auront marre de te voir toujours devant eux.

Car les autres sont peut être nuls et idiots, mais ils sont PLUS NOMBREUX.

Ils s'uniront et s'entraideront CONTRE TOI.

C'est ce qu'on appelle le TRIOMPHE DE LA NULLITÉ.

Alors face à eux, sois modeste et discret. Écrase-les avec douceur. Et n'hésite pas à leur faire l'aumône.

Hm. Le problème, c'est que c'est difficile d'être discret quand on est le meilleur d'un tas de minables...

Bah... C'est ça d'être le fils d'un grand homme comme moi.

HI HI HI HI

Allez, c'est bien continue!

Mais ne baisse pas!

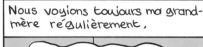

Nous voyions toujours ma grand-mère régulièrement.

Haaa... Je me sens faible, je sens que je n'en ai plus pour longtemps...

Ma mère ne comprenait pas l'arabe, elle ne savait pas que ma grand-mère passait son temps à faire des reproches à mon père sur la religion.

...Tu ne fais pas tes prières, tu ne vas pas à la mosquée, tu te prends pour un Européen...

Mais non, tu ne comprends rien, je suis moderne! Je suis un musulman moderne!

Ah, puisses-tu dire vrai...

...parce que j'ai eu une vie de malheur, que j'ai perdu deux enfants et que maintenant je suis vieille, et que quand je mourrai, j'irai devant Dieu et il me dira: "Pourquoi ton fils Abdel-Razak est-il un mécréant?"

Et je dirai: "Il est moderne, pardonnez-lui! Voyez mes autres enfants, ce sont tous de bons croyants..."

Mais lui me dira: "NON, il n'est pas moderne, c'est un apostat qui a renié la foi!"

Et là, tu sais bien ce que Dieu me dira! Il me dira! "Ton devoir de mère était d'en faire un bon croyant! Qu'as-tu fait toutes ces années à faire semblant de m'adorer? TU AS ÉLEVÉ UN MÉCRÉANT, VOILÀ CE QUE TU AS FAIT!"

"Alors, voici ce que je vais faire. Je vais prendre ton fils le moderne au paradis, et toi, je vais t'envoyer en ENFER!"

PSCHTT!

C'est ça que tu veux pour ta pauvre vieille mère? Après une vie de misère, le feu de l'enfer!

MAIS NAAAAN PFFFF

Moi, j'avais énormément de doutes sur l'existence de Dieu. Je n'arrivais pas à y croire.

Ahhh! Mes chéris! Venez! Venez!

Je faisais semblant en me disant que ça viendrait peut-être.

Bonjour, mon oncle

Bonjour Anas!

Dans ma famille, les croyants passaient leur temps à parler de Dieu et à se réclamer de lui.

Hadj Mohamed mon frère!

Ils louaient la pureté morale, l'honnêteté, la gentillesse, la sincérité... et faisaient tout l'inverse.

Alors Riad! Quand est-ce que tu invites Anas et Moktar à jouer avec tes jouets?

Leurs comportements étaient complètement à l'opposé de leurs discours.

C'est vrai ça! Tu pourrais les inviter une fois!

Il me semblait évident que si Dieu existait, il ne supporterait pas une telle hypocrisie.

C'est vrai, nous on veut bien venir!

Jouer avec tes jouets!

Le fait qu'il n'intervenait jamais pour punir toutes ces méchancetés ne pouvait signifier qu'une chose.

Il n'existait pas.

J'avais seulement la preuve de deux phénomènes surnaturels.

Tire dessus un grand coup, elle va tomber.

Le premier, c'était la mystérieuse "petite souris".

Il suffit de mettre ta dent sous ton oreiller cette nuit, et la petite souris viendra la chercher. Elle te laissera une pièce en échange !

Je perdais mes dents de lait

En effet, le lendemain matin, je trouvais toujours une pièce d'une livre syrienne à la place de ma dent !

QUELLE MERVEILLE !

À chaque fois, j'essayais de rester éveillé le plus longtemps possible pour l'apercevoir...

... mais elle était très intelligente et attendait toujours que je m'endorme

Comme j'étais de plus en plus obsédé par les animaux, je demandais plein de précisions à mon père sur cette mystérieuse espèce de souris.

C'est une souris plus grosse et beaucoup plus intelligente qu'une souris classique. Elle vit partout sur terre et collectionne les dents d'enfants ! C'est une souris d'exception.

Il y en a en Syrie, bien sûr. Ce sont des petites souris syriennes. Elles collectionnent aussi les dents. Elles parlent arabe et sont aussi intelligentes que les autres.

Par Dieu quelles dents de lait éblouissantes !

J'ai souvent essayé de les surprendre, moi aussi, mais je n'y suis jamais arrivé.

Une fois j'ai FAILLi. Mais elle s'est enfuie juste avant !

Le second phénomène surnaturel dont j'avais fait l'expérience était bien sûr le père Noël.

IL VA VENIR BIENTÔT ! AVEZ-VOUS ÉTÉ BIEN SAGES ?

Ouiiiiiii

Le père Noël était un vieil homme magique à barbe blanche, vêtu de rouge, qui surveillait nos comportements tout au long de l'année.

Il vivait au ciel

On ne voyait jamais ses yeux

Moyennement sage, ce Riad ...

Il fallait lui faire une liste de tous les cadeaux qu'on rêvait d'avoir ...

Cher père Noël, voici ce que je voudrais :
- Un hélicoptère Big Jim
- Un véhicule spatial Big Jim
- Un vrai pistolet avec de vraies balles.
Merci Riad

Les parents postaient la lettre ...

Ils la postaient vraiment

Puis on mettait un sapin dans le salon qu'on décorait avec des boules brillantes et des guirlandes lumineuses ...

On aspergeait l'arbre avec une bonbonne de fausse neige qui sentait une odeur synthétique hypnotisante

Sac en papier

On se couchait ...

Dormir, vite! vite vite vite! Viiiiiiiiite !!!

... et le matin, on fonçait pour découvrir les cadeaux que le père Noël avait déposés sous le sapin pendant la nuit !

C'était une vraie preuve que le surnaturel et la magie existaient.

La boîte de l'hélicoptère Big Jim a l'air petite...

?

Pour le moment, le père Noël n'était passé qu'en France ...

Un Big Jim plongeur ? Il comprend rien le père Noël ou quoi ?

... et pas encore en Syrie.

Cette année, je veux fêter Noël, comme en France !

RAS LE BOL !

Doucement ! Quel besoin de crier !

Je vais faire mon possible ! Ouh là là !

19

Mon père nous emmena faire des courses à Homs.

Je veux du foie gras, du champagne et un sapin!

UN SAPIN? OÙ TU VEUX QUE JE TROUVE UN SAPIN A HOMS?

Haha je plaisante! Allez c'est la fête! Je vais acheter une petite bouteille de côtes-du-rhône, c'est mon vin préféré

Homs n'avait pas changé. Les rues étaient toujours embouteillées.

Les magasins d'alimentation étaient presque vides, ils ne proposaient qu'un ou deux produits...

Tiens on va acheter des "chiclets" à ce pauvre gosse. Ce sont de bons chewing-gums!

1 livre monsieur!

Quel bon goût de menthe! Il me fait pitié ce gosse, on va lui donner un chewing-gum pour être gentils.

CHOMP CHOMP

Un bon croyant fait toujours l'aumône.

Tiens, prends un Chiclets, mon enfant.

Non merci, j'aime pas trop le goût.

C'est un miséreux et il aime pas les Chiclets! On aura tout vu!

Tu vois ce que je te disais sur le triomphe de la nullité?

Mon père nous emmena à un magasin que nous n'avions jamais vu.

Devanture propre contrastant avec les magasins alentour

Sonnette

Lumière tamisée

Il sonna. Un type en costume vint lui ouvrir.

Bonjour je voudrais acheter du champagne.

Bien sûr monsieur. Entrez.

Le type retourna derrière son petit pupitre.

N'hésitez pas à me demander si vous souhaitez un renseignement.

Sol très propre

La boutique était remplie de grands vins disposés dans des alcôves creusées dans le mur.

COGNAC XO

GRAND VIN

PAUILLAC

72$

87$

FOIE GRAS DE CANARD

Les prix étaient affichés exclusivement en dollars.

Ohhh! Du foie gras! J'en veux! Avec du pain de mie!

Mon père avait pris une petite enveloppe avec des billets, et regardait dedans dès que ma mère voulait quelque chose.

Ohhh! Des oeufs de lump!

Prends, ma chérie, prends...

Il y avait un coin jouets avec de petites boîtes de Lego.

On aurait dit des trésors, sous cette lumière

LEGOLAND

630

LEGO

LEGOLAND

LEGO

174$

Soudain, je sentis une présence au-dessus de moi.

Je levai les yeux et fus ébloui par la plus belle chose que je n'avais jamais vue de ma vie!

À ce moment-là, une énorme Mercedes se gara devant le magasin.

Mercedes Sonderklasse W126, le haut luxe.

VRR

La plaque minéralogique était étrangère.

Un petit homme ultra-stressé sortit de la voiture et sonna.

Bonjour monsieur.

HF HF HF HF

CLAC

Il demanda trois bouteilles du vin le plus cher.

Vosne-romanée, 1000 $.

C'est vraiment le plus cher ?

Oui monsieur.

Il paya, mit les bouteilles dans le coffre, et se remit au volant.

CLAC !

TUUT TUUT TUUT

VRROAR

Je demandai à mon père d'où venait cette plaque.

C'est des Saoudiens... Mais celui qu'on a vu c'était juste leur Philippin...

Il était stressé parce qu'il avait peur de se faire tuer à coups de botte par son maître s'il ramenait du mauvais vin HAHA !

Ils sont comme ça, en Arabie Saoudite !

C'est quoi, l'Arabie Saoudite ?

HOUUUUUU !

L'Arabie saoudite, c'est là que se trouve La Mecque, le lieu le plus saint de l'Islam! C'est un pays... arf... très dur **MAIS** où tout le monde est riche.

La capitale a un joli nom: Riyad!

COMME TOI!

Ça signifie "Jardin de Dieu"!

C'est un pays qui a été créé par un chef de guerre TRÈS intelligent qui s'appelait Al-Saoud. Il a donné son nom à son pays, tu te rends compte?

C'est comme si j'avais fondé un pays et que je l'appelais l'Arabie saltouffite!

Avant les Al-Saoud, ce pays, c'était un désert avec des tribus de Bédouins qui se battaient en permanence... Des vrais clochards du désert...

Comme c'étaient des bigots et des ignorants stupides, Al-Saoud les a tous tués et il a dit: "C'est moi le chef." Mais tout le monde se fichait de ce pays... jusqu'à ce qu'on découvre du pétrole là-bas. Et pas qu'un peu: un **OCÉAN**. C'était en 1936.

Même dans la rue il y a du pétrole, en Arabie Saoudite.

Alors, bien sûr, après cette découverte, les Américains sont devenus leurs grands amis, et les ont inondés de dollars en échange du pétrole pour leurs grosses voitures...

Résultat: les dirigeants saoudiens sont devenus milliardaires en dollars en quelques années...

Mais le peuple, il voyait d'un mauvais œil les comportements des dirigeants, qui avaient des moeurs légères et étaient amis avec les Américains qui soutenaient Israël...

Et les dirigeants, ils faisaient comme si tout était normal.

Et un an après ta naissance, en 1979, il s'est passé un truc terrible! Il y a eu une prise d'otages à La Mecque...

... Par des ¡ISLAMISTES!

C'étaient des jeunes illuminés, ils ont encerclé la pierre Noire, et ils ont dit qu'ils reniaient aux Saoud le droit de gérer le lieu le plus saint de l'Islam, parce qu'ils étaient corrompus avec les Américains juifs et mécréants.

ILS AVAIENT PAS TORT HIHI mais qu'est-ce que tu veux ?

Y a pas mieux que les dollars.

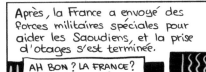

Après, la France a envoyé des forces militaires spéciales pour aider les Saoudiens, et la prise d'otages s'est terminée.

AH BON ? LA FRANCE ? Mais pourquoi ?

Oui la France ! Eux aussi ils achètent le pétrole des Saoud !

Pour leurs Citroën moches hi hi hi

Donc, grâce aux Français, les auteurs de cette prise d'otages, ils ont été arrêtés... Et après, les Saoudiens, ils les ont décapités en direct à la télévision.

Ils leur ont coupé la tête avec des sabres, comme ceux sur la plaque de la voiture...

POUR QUE ÇA SERVE D'EXEMPLE !

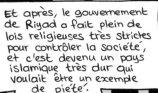

Et après, le gouvernement de Riyad a fait plein de lois religieuses très strictes pour contrôler la société, et c'est devenu un pays islamique très dur qui voulait être un exemple de piété.

Les femmes ont très peu de droits, c'est le Coran qui rend la justice et organise la société... Moi je dis ; pourquoi pas. C'est comme ça chez les musulmans.

Mais pourquoi alors, quand tu prétends que tu es le meilleur croyant et le plus respectueux de la religion, tu fais acheter de l'alcool par ton esclave ?

ÇA C'EST LES SAOUDIENS !

Je demandai à mon père ce qu'étaient les esclaves.

Ça existe plus, les esclaves

SI BIEN SÛR QUE ÇA EXISTE ! Ça c'est les Français, ils croient tout savoir TSSS

Les esclaves, c'est des gens qui appartiennent à d'autres gens plus riches qui ont droit de vie ou de mort sur eux.

C'est comme des enfants ?

Presque.

En Arabie Saoudite, c'est les Philippins. Chez eux, ils dorment dans la crotte, alors les Saoudiens vont les chercher et leur proposent 50 dollars pour les ramener dans leur pays. 50 dollars, c'est une fortune, pour un Philippin.

C'est une montagne d'or !

Quand il arrive en Arabie Saoudite, il fait le travail des Saoudiens pour 50 dollars par mois. Par exemple, le postier saoudien, il touche 3000 dollars, et il demande à son esclave philippin de distribuer les lettres à sa place !

Le postier saoudien reste chez lui tranquille et profite de sa Mercedes.

Les Philippins n'ont aucun droit, c'est le maître qui garde leurs papiers, et qui fait ce qu'il veut de leur vie. C'est les Saoudiens qui décident s'ils peuvent retourner aux Philippines, ou même se faire soigner

...

C'est très bien pensé.

C'est des esclaves modernes, et ça marche. Les Philippins sont contents et les Saoudiens aussi.

Sans ce système, le pays fonctionnerait pas : y a pas assez de vrais Saoudiens.

HIHI !

Et comme c'est une monarchie religieuse très dure, le système continuera pour toujours. Ils sont très malins et n'ont plus qu'à encaisser les dollars !

Je suis d'accord avec ça !

VIVE LES DOLLARS !

Comment tu peux être d'accord avec un pays pareil ? J'avais lu un article dans Paris Match, où ils disaient que les femmes devaient rester à la maison et n'avaient pas le droit de sortir seules, qu'elles devaient porter de grands voiles noirs...

Je suis pas "d'accooord" tout de suite les grands mots...

Mais c'est un pays islamique... C'est comme ça... C'est la tradition musulmane. C'est normal pour le vrai croyant de vivre comme ça...

C'est pas très différent de la vie au village, en un peu plus strict... Mais avec des dollars !

Tout passe toujours mieux avec des dollars !

Moi je dis, si tu demandais aux Français : "On supprime la liberté d'expression, les droits de l'homme et la démocratie, et en échange tout le monde touche 3000 dollars à rien faire, et la médecine est gratuite... Qu'en pensez-vous ?" Moi je dis les Français ils diraient...

"Où faut-il signer ? Je peux toucher mes dollars ce jour ?"

Y aurait plus de "grandes idées" qui tiennent !

Tout le monde accepte les dollars. C'est pour ça que l'Amérique est puissante.

Un jour, tous ces pays terribles du Golfe, ils achèteront tout en France. Même le cœur des gens. Tu verras ! Et les Français leur diront merci avec des sourires nigauds...

MERCI ! MERCI POUR LES BONS DOLLARS !

Mais bon. C'est vrai que les Saoudiens, c'est des ordures.

J'y suis allé en 1943, je m'en souviens très bien.

C'EST VRAI ?

Eh oui, j'étais petit mais je m'en souviens très bien.

J'avais 3-4 ans, c'était après la mort de mon père. Ma mère voulait faire son pèlerinage alors on est partis ensemble à pied jusqu'à Tartous.

On dormait chez des gens qui voulaient bien nous héberger, on leur disait qu'on allait faire notre pèlerinage... Moi j'étais content car j'avais ma mère juste pour moi.

Comme elle était jeune veuve, elle avait peur elle aussi de mourir bientôt. Et comme elle avait perdu deux garçons avant moi, elle avait peur que je meure aussi. Elle voulait pas qu'on meure avant qu'on soit allés à La Mecque.

Ils sont morts de quoi les deux garçons ?

Personne n'a jamais su. Ils sont morts tout bébés... Le soir ils riaient en se couchant, et le matin ils étaient froids et morts.

Bonne nuit!   Ghi!

Houuu que c'est triste ces drames!

Mes pauvres frères!

Bref au bout d'un moment on arrive à Tartous, c'était une ville immense pour des paysans comme nous! On se perdait...

Mais on a fini par trouver un énorme bateau, ma mère a payé beaucoup d'argent et on est allés dans la cale avec plein d'autres personnes...

KARABOUDJAN

... et on est restés assis là. Ça bougeait beaucoup, les gens vomissaient et ça sentait très mauvais, mais j'étais avec ma mère et j'étais content.

On est passés par le canal de Suez et c'était magnifique, il y avait des bateaux énormes partout, je n'avais jamais vu ça.

Enfin, on est arrivés à Jeddah, qui est le grand port près de La Mecque.

On a fait le pèlerinage, et ma mère elle a pleuré quand on a tourné autour de la pierre Noire.

Mais comme il y avait plein de monde, j'ai perdu ma mère dans la foule ! Je pleurais, je pleurais et je ne voyais que des jambes !!!

Le pire jour de ma vie !

J'appelais MAMAN ! MAMAN ! J'étais séparé d'elle pour toujours !

MAMAN !

MAMAN !

Il criait dans la rue !

Et là, MIRACLE ! J'ai cogné contre quelqu'un, et c'était elle ! C'est bien la preuve qu'il y a un Dieu !

PAF

Mais à ce moment-là, un Saoudien a surgi avec un bâton et il nous a donné la bastonnade parce qu'on tournait pas dans le bon sens !

Quels animaux tapent une femme et son enfant ? Aucun animal ne ferait ça ! FILS DE CHIEN !

Après, ta grand-mère, elle pouvait plus bouger son bras et moi j'avais des bosses et tellement mal à la tête... Enfin, on avait fait notre pèlerinage, on était contents.

Qu'est-ce que c'est
violent toutes ces
histoires...

TRÈS
VIOLENT !

C'était terrible
à l'époque. Les
gens mouraient
comme ça !

CLAC!

CLAC

CLAC!

CLAC

CLAC

CLAC

CLAC

CLAC

La vie est meilleure
aujourd'hui !

On peut manger
du foie gras et
boire du champagne
comme en France !

Mon père se tenait toujours
un peu voûté avec les
épaules tombantes. De
dos, il paraissait faible
et fragile.

Pourtant, j'étais certain
qu'une grande force
était cachée en lui.

Papa! La boutique où
y avait le Goldorak,
elle était tenue par
un chrétien, non ?

ÉVIDEMMENT! Qui
vendrait du vin dix
fois plus cher qu'en
France à ton avis ?

Enfoirés de
chrétiens en
costume !

Mon père avait découvert une sorte de vidéoclub qui ne louait que des cassettes vidéo pirates.

Foie gras, champagne, et maintenant un film! On a la belle vie!

Qui vit mieux en France?

Qui?

Le côté gauche de la boutique était occupé par des affichettes de VHS, et le droit, par celles des BETAMAX.

Il y avait moins de choix en Betamax

Ça sentait très fort le tabac

Mon père posait toujours la même question au vendeur.

Qu'est-ce que tu as comme films français, ou en français?

Doux et maigre →

Le vendeur ne faisait pas la différence entre le français, l'espagnol et l'italien.

Aldo Maccione, c'est français?

Oh non, pas encore !!!

Très rigolo!

La majorité des films venait d'Égypte.

Les hommes portaient des chapeaux rouges →

C'étaient des histoires qui avaient l'air sentimentales (aucun intérêt)

J'avais le droit de choisir un film pour moi. Mes pochettes favorites étaient celles des films d'action.

Je les avais presque déjà tous vus

Il y avait des films de Jackie Chan: "Le Chinois", "Police Story" (excellents).

Moi, mes préférés étaient les films post-apocalyptiques.

DESTRUZIONE NUCLEAR 2025
MITCH MITCHELSON
DONIE DONALD
LUCIO WILLIS

Le scénario de ces films était toujours à peu près le même.

La civilisation avait été détruite par une guerre nucléaire...

...mais un homme seul tentait de survivre

Ce guerrier était en général un bellâtre italien bien coiffé qui conduisait une voiture puissante et rafistolée.

Il était poursuivi par une meute...

Bastardi...

... de types ultraviolents avec des crêtes qui voulaient le tuer.

J'adorais ces films et je partageais ce goût avec le vendeur.

J'ai un truc un peu différent qui vient d'arriver.

Beaucoup d'action et de violence.

Un chef-d'œuvre.

Il m'a montré une photo et a prononcé ce nom:

CONAN LE BARBARE.

Je n'avais jamais vu d'homme aussi beau et musclé de ma vie. J'étais ébloui.

JE LE VEUX.

Demande au type si c'est pas trop violent... Y a une épée...

Les épées ça va, c'est le sexuel qui est dangereux...

Ça va pour un enfant de 7 ans?

C'est un film d'homme...

Cela faisait quatre ans que nous habitions le village de Ter Maaleh.

Je m'y étais habitué. Ma mère, pas du tout.

Elle avait des livres achetés en France qui étaient toujours sous plastique

Elle restait en chemise de nuit toute la journée

"Les oiseaux se cachent pour mourir"

Elle avait rapporté un puzzle de cinq mille pièces sur lequel elle passait des journées entières.

C'est Saint-Malo, la ville de tes ancêtres...

Ça va me prendre au moins un an de le finir...

Je ne comprenais pas comment on pouvait venir à bout d'un tel truc.

Il faut essayer de commencer par les pièces du bord.

Après c'est plus facile.

C'est moi !

Je me rendais compte que mes parents commençaient à s'éloigner l'un de l'autre.

Tout à l'est du village, il y avait un chemin qui longeait des champs.

En le suivant, on arrivait à un canal d'irrigation moderne en béton.

Nous allions parfois traîner là-bas avec Waël et Mohamed

Il fallait bien vingt minutes pour y arriver

Sur l'autre rive, on voyait des tentes de Bédouins

Et derrière, encore plus loin, une sorte d'autoroute qui filait vers le nord

À chaque fois, mes cousins hésitaient à sauter par-dessus le canal.

Je suis sûr que je pourrais y arriver!

Vas-y, tente!

Heureusement, ils renonçaient toujours au dernier moment.

J'essaierai une autre fois... Je le sens pas aujourd'hui...

Oui...

J'étais terrorisé qu'ils tentent le saut et qu'ils se noient

Le canal faisait bien cinq mètres de large.

DIEU EST GRAAAAAND ET IL N'Y A PAS PLUS GRAND QUE DIEUUUUUU

AH!

Il est l'heure de faire la prière.

?

Tu ne veux pas essayer avec nous Riad?

On te montre comment faire si tu veux...

Je euh... je...

Je... mon père m'a dit que je pouvais attendre un peu... Je la ferai plus tard...

pas... pas maintenant ...

Ils n'ont jamais insisté et ne m'en ont jamais voulu.

Pas de souci Riad!

On te montre

Tout d'abord, si tu n'as pas de tapis, tu dois nettoyer le sol de toutes les saletés.

Ensuite, il faut se laver la nuque, les mains et les pieds.

Mais l'eau du canal est sale...

... alors, si tu n'as pas d'eau, un peu de sable ou de terre propre suffit

Tu poses tes chaussures derrière...

... et tu cherches la direction de La Mecque.

Là-bas je dirais.

Personne n'avait obligé mes cousins à faire leur prière. Cela s'était imposé à eux tout naturellement.

Les Bédouins aussi faisaient leur prière

En rentrant, je leur demandai s'ils avaient entendu parler de l'Arabie Saoudite.

Bien sûr! Moi plus tard, j'irai faire mon pèlerinage à La Mecque.

Moi aussi! Et puis on ira travailler là-bas!

C'est un pays merveilleux où la loi islamique est vraiment respectée! C'est l'endroit le plus pieux sur terre.

En Arabie Saoudite, c'est l'égalité entre tous les hommes. Si tu crèves un œil à quelqu'un, on te crève un œil.

Si tu voles, on te coupe la main avec laquelle tu as volé.

Œil pour œil, dent pour dent: logique.

Et si tu tues quelqu'un?

On te coupe la tête avec un sabre, **TCHAC**!

Tu sais que si tu meurs pendant ton pèlerinage, tu vas directement au paradis?

Moi, je veux mourir à La Mecque!

En plus, il y a beaucoup de travail là-bas. C'est payé des millions. Mon oncle Aziz, il est ingénieur à Médine et il est très riche.

Nous, on fera comme lui plus tard. On sera médecins et on ira travailler là-bas.

Tous les pays du monde devraient être comme ça! Mais un jour, grâce à Dieu, ils le seront!

Ils le seront!

Je n'osais pas leur dire ce que m'avait raconté mon père à propos de l'amitié des Saoudiens et des Américains.

La Mecque est **INTERDITE** aux mécréants. Aucun non-musulman ne peut y mettre le pied.

Et les Juifs?

HAHA!

"Et les Juifs"!

Si jamais un Juif essaie de poser un pied en Arabie Saoudite, il sera immédiatement décapité, bien sûr.

Plus tard, sur le toit de notre maison, je leur expliquai ce qu'était le père Noël.

Un personnage magique qui amène des jouets aux enfants ?!?

Oui!, Il suffit de mettre un arbre coupé chez soi, et il dépose les jouets dessous.

Wouuuu!

Incroyable! Et il t'amène ce que tu veux?

Oui, il faut lui écrire une lettre en lui demandant des trucs précis. Si t'écris pas, il t'apporte des jouets au hasard!

WOUUUUU

WOUUUU

Le soir de Noël, mes cousins voulurent essayer. Ils dégotèrent une vieille branche et la plantèrent dans une brique.

Et voilà le sapin de Noël!

Mes cousins écrivirent leur lettre au père Noël.

"On veut les mêmes jouets que Riad. Même si on en reçoit que la moitié, on sera déjà contents."

Je mets la lettre dans la brique...

... et demain, vous aurez les cadeaux!

INCROYABLE!

Que Dieu soit loué.

Le soir...

Ma mère avait dressé la table.

Elle avait fait des petits toasts

Mon père avait réussi à dégoter un sapin et des boules, mais ne nous avait pas dit comment.

Vous voyez les enfants, ça, c'est du côtes-du-rhône : un vin d'exception.

C'est mon préféré.

C'est vrai que ça fait plaisir !

HMMMM ! Délicieux !

POUAH ! Il est bouchonné !

Faut pas le boire !

Comment ça "Faut pas le boire"? Une bouteille à 50 dollars !

Je la bois jusqu'à la dernière goutte moi !

Tu devrais pas, tu vas être malade.

Il est parfaitement à température, c'est un délice !

Je crois que je veux retourner vivre en France.

En France? Qu'est-ce qu'on irait faire en France?

Vivre mieux! Yahyah va avoir l'âge d'aller à l'école, je veux qu'il y aille en France!

Les Français DÉTESTENT les Arabes.

Je trouverai jamais de travail là-bas.

Qu'est-ce que t'en sais? T'as jamais essayé!

Oh si, je connais la France! La France, c'est bien pour les Français.

T'es docteur à la Sorbonne!

En France, je pourrai pas devenir quelqu'un d'important. Y a pas d'Arabes importants en France. Y a qu'ici que je pourrai y arriver.

Et moi? J'ai envie de redevenir secrétaire! Je peux travailler!

Ma mère est vieille, et...

Mais on pourrait venir la voir pendant les vacances!

AU PRIX DU BILLET?

Avec quel argent?!?

PFFFFFF...

Cette année, mes arbres vont enfin donner des fruits! Je vais faire mon premier million!

Maman! On peut aller se coucher, comme ça on sera plus vite à demain pour que le père Noël soit passé?

39

Le lendemain, le père Noël nous avait apporté de superbes cadeaux.

(En fait, c'était ma grand-mère de France qui envoyait les jouets par colis)

Mon père devait payer des droits de douane exorbitants

Je me dépêchai d'aller sur le toit pour voir ce que mes cousins avaient reçu.

La lettre était toujours dans la brique!

Y a rien!

Bizarre, moi, il m'a apporté plein de jouets!

Mes cousins étaient très peinés.

Regarde! Cet homme magique est passé chez Riad, et nous a oubliés!

J'avais moi aussi du mal à comprendre.

Tout ce que je sais, c'est que cet homme n'apporte pas de cadeaux aux enfants qui n'ont pas été sages

Ils retournèrent chez eux...

... et moi aussi.

Ma mère faisait son puzzle...

BLEUARGGL

...et mon père vomissait dans les toilettes à cause du vin bouchonné.

Nous voyions souvent une autre de mes tantes qui s'appelait Khadija.

Elle habitait une petite maison non loin de chez nous

Je l'aimais beaucoup.

L'odeur de sa sueur était très accueillante

SMICK

Quand elle souriait, on avait l'impression que tout irait bien pour toujours

Elle avait un mari très doux, plein de filles à la maison et un garçon de 13 ans qui était toujours en vadrouille.

Ils étaient pauvres mais nous invitaient tout le temps

Tu as 10/10 de moyenne à l'école ?!? Comme ton père quand il était petit! Mais c'est normal: le fils d'un génie est forcément un génie!

Et toi, tu avais quoi comme notes quand tu étais petite?

Moi? Mais je ne suis pas allée à l'école, tu sais...

Je ne sais ni lire ni écrire...

AH BON?

Mais Khadija est la preuve que Dieu est grand: elle est analphabète et arrive pourtant à lire le Coran, et UNIQUEMENT LE CORAN!

Merci mon Dieu

Merci mon Dieu

Merci mon Dieu

QUELLE MERVEILLE, PAR DIEU!

Nul ne sait comment c'est possible! C'est un MIRACLE DE DIEU!

Tu parles! Elle a appris par-dessus ton épaule, oui! Elle est ultra-intelligente!

Tsss! Il faut toujours que tu gâches la magie! C'est Dieu qui m'a récompensée d'être une femme très pieuse!

Khadija était l'une des rares personnes qui demandaient à mon père de traduire ce que disait ma mère.

Qu'est-ce qu'elle dit?

Elle dit que tu as appris en même temps que moi, quand je faisais mes devoirs

NOOON! HA! HA!

Khadija était une immense cuisinière.

Elle avait une vigne dans sa cour

Elle cueillait les feuilles, roulait du riz dedans et les faisait mijoter.

Cela semblait être d'une simplicité absolue

Cela sentait le riz chaud

Le goût était incroyablement complexe.

À la fois sucré et salé...

...acide et doux...

...moelleux et croquant.

Le mieux étant d'en mettre plein dans sa bouche en même temps

Je ne comprenais pas comment ces feuilles toutes simples pouvaient développer autant de saveurs différentes.

J'ai planté cette vigne quand je me suis mariée!

Elle avait un petit potager et cultivait ses propres légumes. Elle passait des heures à farcir des courgettes avec du riz à la viande et montrait comment faire à ma mère.

Ça les faisait beaucoup rire

De tous les gens que nous connaissions, Khadija était la seule à prendre le parti de ma mère.

Qu'est-ce que tu fais avec ta femme européenne à vivre dans ce trou? Tu vois bien qu'elle n'est pas heureuse ici!

Mais siiii!

Emmène-la vivre en France! Tu as eu la chance d'étudier, tu es docteur en France, et tu reviens vivre au milieu des ignorants! À quoi tout cela a servi?

Son mari intervenait pour lui rappeler de ne pas aller trop loin.

Laisse-les faire ce qu'ils veulent, Khadija...

C'est comme s'il ne s'était rien passé dans ta tête! Va vivre à Damas, au moins!

Snff

Qu'est-ce qu'elle dit?

Rien... Elle comprend rien...

L'appel du muezzin a retenti.

Tout le monde est allé prier

Moi je suis allé boire de l'eau

STOP RIAD ARRÊTE!

43

Tu es grand ! Tu ne dois plus passer devant les croyants qui prient !

Nul ne doit interférer entre Dieu et le croyant ! Tu dois passer DERRIÈRE.

Je ne comprenais pas pourquoi mon père était si tatillon sur ces sujets, alors qu'il n'était pas religieux.

Il regardait les gens prier en fumant

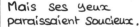

Mais ses yeux paraissaient soucieux.

Au fait ! Je me suis dit que j'allais faire le ramadan cette année !

HEIN ? C'est nouveau ça ?!

C'est très bon pour la santé ! Jeûner, ça purifie le corps des saletés ! C'est prouvé scientifiquement !

Mais...

Mais je croyais que t'étais un libéral ? Que tu voulais sortir le peuple de la nuit de l'ignorance et des superstitions ?!?

ET TOI ? T'ES PAS CROYANTE ET TU FÊTES BIEN NOËL !

C'EST PAREIL !

Quelques semaines plus tard, nous sommes allés vers la rivière par un chemin qui traversait le village.

Nous nous sommes arrêtés devant un petit garage ouvert aux quatre vents.

Je vais voir où est le type ...

Bonjour, y a-t-il quelqu'un ? C'est pour téléphoner !

Un type très mou est arrivé et s'est assis en face d'un pupitre d'où dépassaient plein de fils.

C'est pour appeler où ? Damas ? Alep ? Homs ?

Non, on attend un coup de téléphone de France.

C'est où ? C'est en Syrie ?

Non, Europe... Vous m'aviez donné votre numéro, pour être appelé...

Oui docteur, si la personne a le numéro et qu'elle appelle, ça va s'allumer là.

45

Personne ou presque n'avait le téléphone au village. Ce terminal avait ouvert très récemment.

Le type prenait des poses viriles de spécialiste

Appeler coûtait très cher. Ma mère avait pris rendez-vous des semaines à l'avance par courrier avec ma grand-mère, qui appelait et payait.

On attendait des heures →

Puis soudain, une petite lumière rouge clignotait sur le pupitre.

Allô. Allô.

Il répétait une quinzaine de "allô" puis débranchait.

CLIK!

HFF

La lumière se rallumait.

Allô. Allô. Allô.

Peut-être que...

CHHHT attendez docteur.

Allô. Allô.

CLIK

Je... Il se passe quoi, quand vous dites "allô", monsieur?

Hey par Dieu, quelqu'un parle et j'entends "chabadi chabi" comme si c'était pas de l'arabe, alors je raccroche.

C'est arrivé plusieurs fois qu'on loupe le rendez-vous à cause de cet opérateur qui raccrochait dès qu'il entendait une langue étrangère.

En France, ils parlent pas arabe ?!?
AH BON?

Le type oubliait à chaque fois, et mon père avait peur de le vexer en lui réexpliquant.

Ah! Ça sonne!

Allô.

Allô.

Allô.

Psst! C'est pour nous!
Ahhh... Oui.

Attention, c'est pas de l'arabe; on comprend rien.

Ma mère se mettait alors à parler à ma grand-mère et son visage s'éclairait.

Ouiiiii le père Noël est bien passé, tout le monde était content...

L'opérateur commençait toujours par rire quand il entendait ma mère parler français.

Ça va mieux les gastros...
HFF!
HFF
HFF

Non, on est plus malades, ça va...

Puis peu à peu, son visage se figeait et il réalisait qu'elle parlait une langue étrangère...

On a plus d'angines...

...et il finissait par avoir l'air complètement illuminé.

Riad et Yahyah vont bien...

Chapitre 12

Conan le Barbare est un film mythique de John Milius.

Au début Conan vit avec ses parents. Ils sont heureux.

Ce sont des Cimmériens

Son père lui explique la vie

Conan est petit

Le peuple de Conan croit en un Dieu appelé Crom et qui vit sous la terre.

Conan a la même coiffure que moi!

Mais un jour, une horde de Barbares attaque son village.

Conan et sa mère se retrouvent seuls face au chef des Barbares.

Le père a été tué! Ils sont les derniers survivants

Le chef retire son casque : c'est un Noir aux yeux bleus et au visage très doux.

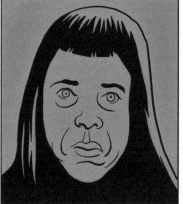

Il sourit tendrement et se retourne : il épargne Conan et sa mère...

Il a pitié!

Elle baisse son épée, elle est soulagée, son fils est sauvé!

Mais il tourne sur lui-même et, d'un geste vif, décapite la mère de Conan avec son épée.

Sa tête tombe alors qu'elle tient toujours la main de son fils

Conan regarde sa main vide...

...puis le chef des Barbares.

Il plisse les yeux pour pas oublier

Le jeune Conan est ensuite emmené avec d'autres enfants comme esclave.

C'est une très longue marche.

La musique est dramatique !

Finalement, les enfants sont attachés à une roue qu'ils doivent pousser sans fin.

Conan tourne la roue tout en se faisant régulièrement fouetter. Il souffre.

Il est tout sale le pauvre →

Les années passent, les enfants esclaves grandissent ou meurent à la tâche.

Mais Conan tient le coup.

Ses jambes sont maigres, mais il pousse

Au bout de plusieurs années de cette vie, il se métamorphose ; ses jambes sont devenues ultramusclées !

Il en vient à tourner la roue **TOUT SEUL** ! Tous les autres sont morts, lui seul a survécu !

Il relève la tête : le petit garçon est devenu un homme ULTRA-FORT

Conan est ensuite acheté par un entraîneur de gladiateurs. Il se bat dans une arène et gagne tous les combats.

Il salue la foule qui acclame ses meurtres!

On lui fournit des femmes...

Un soir, lors du dîner, son maître d'armes pose une question aux élèves.

Mes amis! Nous avons encore gagné. J'en suis heureux.

MAIS QU'Y A-T-IL DE MIEUX DANS LA VIE ?

Une sorte de Hun à moustache répond.

L'immense steppe. Un rapide coursier. Des faucons à ton poing. Et le vent dans tes cheveux.

Il est très hautain et pense tout savoir...

FAUX!

CONAN! QU'y A-T-IL DE MIEUX DANS LA VIE?

ÉCRASER SES ENNEMIS, LES VOIR MOURIR DEVANT SOI, ET ENTENDRE LES LAMENTATIONS DE LEURS FEMMES.

AHH BIEN! HAAAAA! OUAiiiiis! OUïii C'EST BIEN.

Une nuit, Conan est libéré par son maître, sans raison. Il lui dit juste: "**VA !**".

Pauvre Conan! Il court comme un fou!

Il est LIBRE pour la première fois... et veut se venger!

Il trouve refuge chez une femme mystérieuse qui le séduit.

Elle est presque nue mais porte une fine broderie ↓

En fait, c'est une sorcière qui se transforme en monstre quand ils font l'amour!

Ensuite, il vit plein d'aventures et rencontre une guerrière comme lui, qui s'appelle Valéria.

Ils s'aiment ↘

Mais elle se fait tuer par le chef des Barbares.

Alors Conan brûle l'amour de sa vie sur un bûcher

Ses amis le regardent faire, et l'un d'eux pleure ↘

Pourquoi pleures-tu?

Il est Conan, un Cimmérien. Il ne pleurera pas. Alors, je pleure pour lui.

Finalement, il arrive à retrouver le chef des Barbares, qui est devenu un gourou pour des milliers de fidèles hippies illuminés.

Il prêche en haut d'une ↓ pyramide

Conan s'introduit dans le bâtiment, et se retrouve enfin face à l'homme qui a tué tous ses proches.

On sent tout de suite qu'il est plus intelligent que Conan et qu'il prépare quelque chose ↓

Mon enfant. Tu es venu à moi, MON FILS.

HAAN!

Mais Conan se méfie... ↘

54

Car qui pourrait être ton père, si ce n'est moi? Qui t'a donné la volonté de vivre? Je suis la montagne puissante où tu prends ta source... Quand je ne serai plus, tu n'auras jamais été... Imagine ce que serait ton monde sans moi...

Il lui pose la main sur l'épaule ↙

...MON FILS.

Conan abandonne! C'est la seule fois du film où il exprime une émotion! Il est BOULEVERSE. ↑

Heureusement, il reprend ses esprits et décapite le chef des Barbares devant la foule.

Il a l'air de souffrir et ça fait plaisir ↑

Il montre sa tête à tout le monde, et la jette dans l'escalier.

Elle fait un bruit sec en tombant

C'était la chose la plus hallucinante que nous avions vue de notre vie.

La dernière image du film est une photo de Conan vieux et barbu. Il est devenu roi.

Dès le lendemain, mes cousins et moi nous étions transformés en une horde de Barbares cimmériens.

Nous nous étions fabriqué des armes de guerre.

Tôle attachée avec une ficelle

Couteau scotché

Barreau de fenêtre rouillé

Nous faisions des rondes dans le village à la recherche d'ennemis à décapiter.

On ratissait le territoire

CROM !

Là-bas.

Quand nous croisions un autre groupe d'enfants, il fallait être prudents.

On voyait à distance si un groupe était pacifique ...

Discutent

Sourient

Plus jeune

... ou menaçant.

Dos un peu rond

Tête penchée, air fier et farouche

Regard fixe

Bouche pendante

Lorsque le groupe était pacifique, nous exhibions nos armes en prenant l'expression de Conan.

Nous étions à deux doigts de les provoquer

TSSS

Lorsque le groupe était menaçant, nous cachions nos armes en regardant ailleurs.

Et s'ils se montraient agressifs...

HEY ! Donne ton épée, fils de chien !

Un jour, notre horde alla sécuriser la glorieuse forêt de mon père.

Les arbres avaient un peu poussé. C'était cette année qu'ils devaient commencer à donner des fruits.

Il y avait des pêchers et des abricotiers.

Ils étaient encore tout petits

On voyait bien ici ou là, cachés sous les feuilles, les fruits qui poussaient.

Mini-pêche toute verte

Il y avait quelques fleurs encore

Ce verger avait l'air si fragile! C'était le seul de tous les alentours.

Soudain, je vis au loin des ennemis fouiller dans les feuilles.

?

PAR CROM!

57

Anas et Moktar étaient en train d'arracher méthodiquement les fruits des arbres. Ils en mangeaient certains et jetaient les autres.

Grâce à Dieu, ton père n'aura aucune récolte...

Je ne savais pas quoi faire. Je n'avais pas le droit de me battre avec eux. Mes cousins prirent ma défense.

Mes oncles! Arrêtez, c'est très mal!

Voler à des voleurs, c'est pas du vol...

Faudra qu'on vous corrige un jour, de toujours traîner avec ce juif!

J'ai regardé mon épée...

Je l'ai serrée et j'ai frappé Anas à la nuque, de toutes mes forces.

C'était vraiment ce qu'il y avait de mieux dans la vie, d'écraser mon ennemi et de le voir mourir devant moi.

KRAKK

Il se vidait de son sang! Quelle joie!

Hhh

En fait, je n'ai pas fait ça. On les a laissés continuer et on s'est éloignés.

Tu devrais les frapper, Riad, c'est très grave ce qu'ils font...

Ils détruisent la récolte de ton père.

Je sais, mais j'ai peur de ne pas maîtriser ma force et de les tuer...

On ne peut pas tuer la famille.

Par Dieu, tu dis vrai...

Tiens, je vais faire voler de l'eau.

Moi aussi!

Mes cousins faisaient toujours pipi côte à côte en toute tranquillité. Moi, j'avais un peu honte de montrer mon zizi. Mais cette fois, j'ai décidé de faire comme eux.

Il y avait un petit vent tiède très agréable

Wouuuu

Tiens, c'est marrant, t'as pas le même zizi que nous.

Ah oui, t'as de la peau là, et pas nous!

?

C'est bizarre, ça doit être un zizi français.

Nous on a des zizis de Cimmériens

Ton zizi est tout à fait normal.

C'est juste que tes cousins sont circoncis, et pas toi

C'est quoi "circoncis"?

C'est une opération qui consiste à enlever le bout de la peau du zizi. C'est rien du tout. Ça sert à rien... Les musulmans le font, mais bon...

On peut s'en passer...

Comment c'est possible d'enlever ça?

Je n'avais jamais remarqué que le zizi de mon père était différent du mien.

Il passait des dizaines de minutes chaque jour à mettre son zizi sous l'eau du robinet.

Pour moi, c'était normal.

Le zizi, c'est ce qu'il y a de plus important pour un homme.

Il ne faut laisser personne y toucher!

Il faut y faire très attention et toujours bien le laver, sinon on attrape plein de maladies.

C'est un endroit très sensible aux maladies.

GRAT GRAT

Riad! Il faut qu'on te dise quelque chose!

On s'est renseignés sur les zizis français avec le bout pas coupé...

Est-ce que tu es bien sûr que ta mère n'est pas juive?

Bien sûr que j'en suis sûr!

Elle est française.

Parce qu'on m'a dit que les zizis avec le bout pas coupé...

... c'est des zizis de JUIF.

Mon père m'a dit que c'était normal, que tout le monde avait le zizi comme ça, au début...

... mais qu'un jour, on coupait le bout, et ça faisait un zizi comme le vôtre, après.

Ah bon ? Je me rappelle pas qu'on m'ait coupé quelque chose...

Moi non plus...

Riad ! Peut-être que ta mère est juive mais ne le sait pas ?!?

Impossible ! Mon père n'épouserait jamais une juive.

C'est vrai.

Cette histoire de zizi m'inquiétait beaucoup. Mes cousins avaient cru en ma bonne foi. Le docteur Sattouf ne pouvait pas avoir épousé une juive.

J'ai un secret à te dire...

Mais les autres enfants me croiraient-ils également ? Plus personne ne devait voir mon zizi.

... Je suis un zizi juif...

À cette époque de l'année, l'eau d'irrigation n'était pas encore disponible.

Jusqu'à quand on va devoir faire ça ? J'en ai ras le bol !

Tant qu'il fera chaud le jour !

Nous allions en famille arroser les arbres du champ à la nuit tombée.

C'est quand les arbres sont jeunes qu'il faut en prendre soin.

Nous portions tous des bouteilles d'eau. Mon père avait une petite lampe torche pour éclairer le chemin.

CLIC-CLIC CLIC-CLIC

Elle avait un faux contact et s'éteignait à intervalles réguliers.

RHAAAA QUELLE CAMELOTE !

On les voit là-bas, c'est tout droit !

J'ai froid !

N'écoute pas ta mère, Riad, et verse la bouteille au pied de l'arbre !

Les vergers, ça rapporte ! Tout le monde aime les fruits !

Hi Hi !

CLIK!

AHHHH.

Mon père ausculta chacun de ses arbres.

Il ne voyait pas de fruits et son visage était inquiet.

Il ne clignait plus des yeux

Je n'osais rien lui dire et regardais le ciel.

On voit rien du tout avec cette torche qui s'éteint tout le temps !

Bon, on a tout bien arrosé, y a plus qu'à attendre que ça pousse.

On rentre

Regardez-moi ces étoiles ! Le ciel est quand même plus beau ici qu'en France !

Une étoile filante ! Vite, un voeu !

" Il faut qu'on devienne riches très rapidement."

Faites le même voeu comme ça on aura trois fois plus de chances !

Le calendrier musulman est fondé sur les mois lunaires. Il commence en 622, l'année où Mahomet a quitté la Mecque.

Le maître avait encore cassé son bâton

En 1986, nous étions donc en 1407.

C'est un superbe bâton, Riad, mais il est un peu trop gros pour que je le tienne d'une main !

L'année lunaire compte douze mois.

Toi ! Fais voir ton bâton, il a l'air bien.

Tends ta main.

VLAK

Le neuvième est le mois de "ramadan".

Alors ? Comment il est ?

Il l'avait frappé gratuitement !

FRT
FRT
FRT

Pendant ce mois, il est interdit de manger et de boire, du lever au coucher du soleil.

Il est bien monsieur...

Les femmes enceintes, les malades, les jeunes enfants jusqu'à 7 ans n'ont pas l'obligation de jeûner.

Hey ! Tu dors ?

Dans ma classe, tout le monde faisait le ramadan.

Riad ! Emmène-le prendre l'air !

OUI MAÎTRE.

Tout le monde... sauf moi (mais je ne disais rien).

Ah mon Dieu que j'ai soif...

Il... Il faut que je retourne en classe

Dans la nouvelle école, comme dans l'ancienne, il n'y avait ni toilettes, ni cantine. Les enfants apportaient leur repas et le mangeaient en classe.

VOUS AVEZ UNE HEURE DE LIBRE !

Mais pendant le ramadan, ils restaient sur place sans rien faire.

45°C de température

Chaque élève voulait être vu par les autres, pour que tout le monde sache qu'il jeûnait.

Certains enfants crachaient leur salive pour ne pas l'avaler, et impressionner la galerie

Moi, je disais que je devais aller aux toilettes et je me précipitais à la maison pour manger.

Doucement !

J'ai pas le temps...

CHOMP

CHOMP

Puis je retournais à l'école en courant et entrais en classe en prenant un air hagard, comme si j'étais affamé.

Je sentais que personne ne me croyait.

HOUU...   PFF...

HUU FÉCHO

Mon père aussi faisait le ramadan. Il rentrait épuisé de l'université et se jetait sur le canapé.

HAAAAA PAR DIEU

Il mettait sa jelabah avec peine.

Puis s'endormait en lisant le Coran.

Il guettait le coucher du soleil au balcon.

C'est pas parce qu'il est derrière les maisons qu'il s'est couché.

Soudain, un frisson parcourait le village...

... et il se ruait sur le robinet.

Il vidait la bouteille d'un trait, directement dans le gosier sans déglutir.

L'eau coulait comme dans un récipient

Sans bruit !

Et maintenant, place au roi des grillades

À ce moment-là, une délicieuse odeur de viande grillée commençait à flotter dans le village.

Mon père avait un tout petit barbecue sur lequel il faisait cuire des brochettes de boeuf haché.

Il soufflait sur les braises comme un fou.

HHH

FFFFF!

J'essayais de tenir dans la même position accroupie, mais mon dos me déchirait.

Ma mère ne savait pas cuisiner la nourriture syrienne. Mon père achetait des plats préparés.

Il y avait des falafels bien gras qui sentaient les pois chiches et les épices

Des kebbés de toutes sortes

Des sodas fluos

Les kebbés étaient délicieux. Le meilleur moment était quand on arrivait au coeur rempli de pignons de pin.

Bon goût salé de gras chaud

J'adorais aussi les lahm bi ajin.

C'étaient des sortes de pizzas à la viande sucrée-salée qu'il fallait rouler

Quand c'était le ramadan, on trouvait partout une boisson noire au réglisse : le irq souss.

Goûte ce délice.

HERK!

C'était ultra-amer, avec un goût de colle

Noir comme le pétrole

Mon père en buvait des litres directement au pichet.

Sans aucun bruit

Pendant le ramadan, il invitait souvent sa mère à dîner.

Il était fier de lui montrer qu'il respectait le jeûne

Mange!
Mange plus! Tu ne manges pas.

Mais si...

Il attendait un compliment de sa part, mais pour elle, faire le ramadan était normal.

Il mangeait d'un bon appétit, en exagérant son plaisir.

Mais on voyait bien qu'il était déçu de ne pas être félicité

Mon père n'a jamais exigé de moi que je fasse le ramadan...

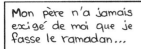

Papa j'me disais...

...mais je me suis dit que ça lui ferait sans doute plaisir si j'essayais.

J'aimerais bien faire le ramadan!

Oh! C'EST VRAI?

Ça va pas non? T'es trop petit!

Dans ma classe, tout le monde le fait!

Laisse-le faire ce qu'il veut!

Le secret, pour tenir, c'est qu'il faut manger le matin, avant le lever du soleil.

Réveille-moi demain!

D'ACCORD MON FILS!

Le lendemain, mon père est venu me réveiller au milieu de la nuit.

Le soleil va se lever dans 30 minutes, vite!

On a mangé du fromage dans de l'huile et du pain, en buvant du thé très fort.

Jeûner, c'est très bon pour la santé. Ça élimine les impuretés.

Tout ce qui est recommandé par la religion est bon pour le corps. Faire ses prières, ça calme, et ça fait aussi de l'activité physique. Se baisser, se pencher, se relever, ça maintient en forme.

Faire ses ablutions aussi c'est utile. c'est hygiénique.

STOP!

On ne mange plus jusqu'à ce soir!

Je me suis recouché quelques heures. À mon réveil j'étais déjà complètement assoiffé.

Tu ne vas pas tenir la journée !

Si si...

Parcourir les cent mètres qui séparaient la maison de l'école fut épuisant.

Haleine fétide car interdit de se laver les dents

En classe, j'avais la tête qui tournait.

À un moment de la journée, le prof s'assit sur sa chaise et n'en bougea plus.

Hhh

Je trouvais qu'il en faisait un peu trop.

Ahh... Mon Dieu aidez-moi ...

L'ensemble de la classe resta sans activités jusqu'à la récréation.

J'avais la sensation que je ne survivrais pas à cette journée.

J'avais la tête comme cerclée de fer

Je voyais des étoiles.

Est-ce le délire de la soif qui m'a fait faire ce qui va suivre? J'eus cette idée pendant la récréation.

Je suis remonté en classe discrètement...

...et j'ai écrit cette phrase en soignant ma calligraphie ↓

...

"Le maître fait le ramadan car c'est un bon musulman."

Voilà ce que j'avais écrit! →

← J'étais fier de moi

Cela allait ravir le maître →

La récré se termina. Les élèves revinrent en classe.

Le prof souffreteux aussi.

Il lut la phrase

Qui est le fils de chien qui a écrit ça ?

J'étais tellement choqué, que je me suis dénoncé tout de suite.

Mon cœur s'était arrêté ↓

TENDS TA MAIN !

VLA!

J'appris ensuite par mon père qu'il était chrétien. Il faisait semblant de faire le ramadan pour ne pas avoir de problèmes.

Il avait pris ma phrase comme une mise en doute publique de sa probité, et une délation moqueuse.

Il ne fut plus jamais le même avec moi

FRTT FRTT FRTT

Je tins bon toute la journée et réussis à rentrer à la maison.

Jeûner ce jour-là était la chose la plus difficile que j'avais jamais faite

T'AS RIEN BU NI RIEN MANGÉ ? TU ES FOU !

Non mais ça va...

Mon père rentra de l'université épuisé, comme d'habitude.

Alors ? Comment ça va ?

Grâce à Dieu ça va.

Riad ! Ne dis pas "Grâce à Dieu ça va" si tu n'as pas tenu le coup !

Mais j'ai tenu le coup !

Tu m'as l'air un peu trop en forme... Tu as bu, au moins ce midi !

Mais non !

Tsss... "Grâce à Dieu ça va"...

Il ne faut pas mentir avec la religion.

Personne ne t'oblige à faire le ramadan

Quelle heure il est ?

VVVRR

C'est la seule fois où j'ai tenté de faire le ramadan.

Le lendemain de la fin du ramadan est "la fête de la rupture". C'était, avec Noël, mon jour préféré de l'année.

Il fallait se faire beau et attendre sur le canapé qu'on frappe à la porte

Les hommes de la famille entraient dans notre salon les uns après les autres.

Ils s'asseyaient, nous observaient avec bienveillance. Puis l'un d'eux m'appelait.

J'allais le voir.

Smmmick!

Hmmm.

Chaque homme donnait un peu d'argent.

Ceux qui avaient moins d'argent donnaient des pièces

Ma mère leur servait des gâteaux.

Ils en prenaient sans la regarder

À la fin de la matinée j'étais un homme riche!

Mon père nous demandait l'argent pour rire.

Donnez-moi vos billets, je vous les garde en sécurité !

NON c'est à moi !

Tiens, papa ! Moi je te les donne !

AHHH !

Comme tu es gentil Yahyah ! Il donne ses sous à son papa ! Ça, c'est un bon garçon !

Riad, il est comme Hadj Mohamed, **iL AiME L'ARGENT** et le garde pour lui ...

Il est pas dans le partage.

Yahyah, il est comme moi. C'est la générosité même.

J'acceptais ses commentaires avec résignation...

... car mon père gardait vraiment l'argent et ne le rendait jamais à mon frère, qui finissait par oublier.

SMiCK !

♪

Mes cousins aussi étaient riches. Nous allions au magasin du conteneur.*

Tous les enfants se retrouvaient là pour acheter des pistolets en plastique, des pétards et des ballons de foot.

Les pétards se présentaient sous la forme d'anneaux en plastique.

Le barillet sortait ...

... et on glissait les munitions dedans

Les vrais spécialistes retiraient le bouchon grillagé au bout du pistolet, pour faire une flamme.

BANG

Le village résonnait de pétards pendant toute la journée.

BANG
BANG
BANG
BANG
BANG
BANG
BANG
BANG

Puis les explosions s'espaçaient...

L'air sentait une bonne odeur de poudre

BANG

BANG

La fête était finie, la vie reprenait.

* Voir L'Arabe du futur, tome 2

Chapitre 13

Quelque temps plus tard, ma grand-mère vint nous rendre visite avec ma tante Khadija.

Ma grand-mère avait une sorte de rictus permanent.

Elle demande comment va la grossesse et si tu as mal.

C'est gentil, ça va.

Elle dit que quand elle était enceinte de moi, je bougeais tout le temps et je lui donnais des coups, et que ça l'empêchait de dormir.

Riad, c'était pareil !

Mais celui-là, ou celle-là, est très calme

CELUI-LÀ !

Je veux un garçon, pas une fille !

Mon père traduisit à sa mère. Elle eut une drôle d'expression.

Ça sera un garçon grâce à Dieu ! Les filles c'est tellement de soucis...

Chaque fille est une catastrophe.

Ma tante aussi souriait. Elle ne se sentait pas du tout visée.

Ahhhh oui !

C'est vrai qu'il vaut mieux un garçon !

Ça évite bien des soucis.

Et vous ? Vous préférez un frère ou une soeur ?

UN FRÈRE !

Ce qui est bien, c'est que si c'est un garçon, tu pourras les faire circoncire tous les trois d'un coup.

Qu'est-ce qu'elle dit?

Elle dit n'importe quoi, elle veut que je fasse circoncire les petits...

Ah? C'est comme tu veux... On le fait beaucoup en France. C'est plus hygiénique...

Naaan... C'est inutile...

Qu'est-ce que vous dites?

J'ai dit que je voulais PAS les circoncire.

Eh bien cette fois c'est sûr: ON VA TOUS EN ENFER.

RHAAAA TA GUEULE

Mon père continua à l'inonder d'insultes pendant plusieurs minutes.

Il était hystérique

Il bavait partout →

Puis il s'enfuit.

Il nous avait laissés seuls avec sa mère évanouie.

Ma mère et ma tante allongèrent ma grand-mère sur le canapé.

81

Je l'ai cherché dans toute la maison.

C'est alors que j'ai entendu chuchoter sur le balcon.

Pardonnez ce que j'ai dit mon Dieu
pardonnez ce que j'ai dit mon Dieu
Pardonnez ce que j'ai dit mon Dieu
Pardonnez ce que j'ai dit mon Dieu
Pardonnez ce que j'ai dit mon Dieu
Pardonnez ce que j'ai dit mon Dieu
Pardonnez ce que j'ai dit mon Dieu
Pardonnez ce que j'ai dit mon Dieu
Pardonnez ce que j'ai dit mon Dieu
pardonnez ce que j'ai dit mon Dieu
Pardonnez ce que j'ai dit mon Dieu
Pardonnez ce que j'ai dit mon Dieu
Pardonnez ce que j'ai dit mon Dieu
Pardonnez ce que j'ai dit mon Dieu
Pardonnez ce que j'ai dit mon Dieu
Pardonnez ce que j'ai dit mon Dieu

Chapitre 14

Je crois qu'il faut se lever et suivre le prêtre

Ah oui ?

La pièce sentait très fort l'encens. Le prêtre chantait dans une langue inconnue. Nous faisions des rondes derrière lui.

Mon père suivait docilement. Il avait l'air effroyablement gêné.

La ronde s'arrêta. L'homme qui tenait le bébé salua tout le monde.

Docteur, je vous admire d'être venu au baptême de mon fils. Merci.

Mais de rien, c'est normal.

Nous avions enfin rencontré l'ami haut placé de mon père.

Depuis son altercation avec sa mère, mon père n'avait plus de contacts avec sa famille.

Vous vivez dans un village? C'est pas trop dur? La Syrie, c'est pas ça!

En anglais

Oui, c'est rude.

Ma mère semblait très heureuse de rencontrer enfin du monde en dehors du village.

Il faut visiter la Syrie! En une heure, on est dans des paysages magnifiques...

Oui, on va acheter une voiture, grâce à Dieu...

Cet homme puissant s'appelait Tarek, et sa femme, Sabah. Ils étaient très gentils.

...et c'est vrai que Ter Maaleh, bon...

Ils habitaient un grand appartement à Homs.

Lustre en cristal

Il y avait peu de fissures

Ils avaient deux grandes filles qui gloussaient dès qu'elles me voyaient.

HiHiHi

Mon père refusait de me dire quel était le métier de Tarek. Je savais juste qu'il était un proche du président Hafez Al-Assad.

Un peu de vin?

Avec plaisir.

Le monde arabe et la Syrie ont besoin d'hommes modernes comme vous, docteur.

Il avait l'air d'idolâtrer mon père.

Mais je comprends votre désir de vivre dans le village de votre famille.

Tous les grands hommes sont proches de leurs racines.

SLURP

J'admirais la capacité de mon père à profiter de la vie, même après avoir maudit Dieu. Il n'y avait pas pire insulte.

Il semblait bien le vivre

Nous ne sommes jamais allés à Damas...

Oh quel malheur! C'est le plus bel endroit au monde!

Je me ferai un grand plaisir de vous faire visiter la capitale.

Nous irons aussi au Liban!

Oh ça serait merveilleux!

Un peu plus tard dans la soirée...

Regarde Abdel! C'est leur vie que je veux! Leur appartement est génial et ils ont une voiture... Pourquoi on a pas ça nous?

Qu'est-ce qu'on est en train de faire à ton avis?

ON VA VERS ÇA!

Mais t'aurais dû attendre qu'ils proposent avant de leur demander de nous promener!

J'ai rien demandé!

C'est moi qui dois les gérer, ce sont des gens très puissants...

Ils font quoi?

Je te dirai en temps voulu.

Je suis l'homme politique. Laisse-moi mener les négociations.

Puis il y eut de la musique, les filles se mirent à danser d'un côté de la pièce...

♪ J AYAYA MON CHÉRiiiii ♪♪

... et les hommes de l'autre.

Ils étaient très sérieux

♪ CHÉRiii ♪ iiiiYAAA ♪

Dommage que je sois enceinte, j'aurais bien dansé aussi.

87

Le printemps était là.

Ma grand-mère, soi-disant mourante, avait survécu. Nous ne l'avions toujours pas revue.

Ma mère avait bien avancé son puzzle.

Mon père était de plus en plus détendu.

C'est moi ! Je rentre de Damas !

C'était la période des examens à l'université.

J'AI DES BANANES !

PLEIN !

Les élèves de mon père le couvraient de cadeaux afin qu'il soit indulgent en corrigeant leurs copies.

Du poulet, des récipients en cuivre richement décorés, deux cactus, une lampe de table de grand luxe ...

... et même ... UN POISSON CHAT !

Ça se mange ?

Bien sûr ! Mais il faut le cuire très longtemps. C'est très bon avec de la sauce tomate.

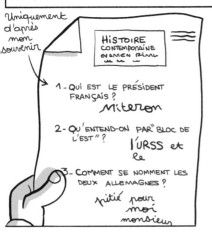

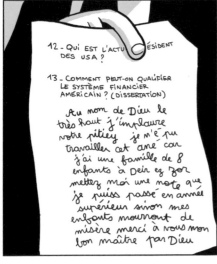

Quelques jours plus tard, à l'école, le professeur ne venait pas.

Au bout d'une heure, certains élèves ont commencé à quitter la classe.

Il viendra pas, par Dieu, on peut rentrer chez nous c'est journée libre!

J'ai beaucoup hésité. Mais après une heure d'attente supplémentaire, je me suis levé.

Riad! Tu ne devrais pas sécher l'école, c'est le crime le plus grave qu'on puisse faire!

T'en fais pas, le prof viendra pas.

Y a pas cours, le prof est pas venu!

Alors je suis rentré.

?

Le reste de la journée, je me sentis très coupable.

RESTE, RIAD

NE PARS PAS!

PCHIOUU

Le soir, mon cousin Waël vint frapper chez nous.

Riad! Ton camarade Saleem m'a dit de te dire que c'était la catastrophe. Le prof est arrivé juste après ton départ, et il a condamné les déserteurs à L'ATLI!

La terreur pure

C'était le pire châtiment sur terre. "Atli" signifiait "raclée". Il s'agissait d'un simulacre d'exécution publique qui avait lieu en fin d'année. J'y avais déjà assisté par le passé.

Les élèves étaient mis en rangs dans la cour

Le condamné était ligoté à une chaise

Les autres condamnés pleuraient en attendant leur tour

Le directeur lisait le compte rendu du crime que l'élève avait commis et pour lequel il allait être puni.

"Mohamed s'est REBELLÉ contre son institutrice et a insulté les parents de celle-ci."

Pitié maître

Un autre condamné tenait les jambes de l'enfant. Le directeur administrait lui-même la sanction. Il frappait de toutes ses forces sur la plante des pieds.

×10

VLAK

À ce qu'on disait, il n'y avait pas pire douleur... Je suppliai mon père d'intercéder en ma faveur.

C'était hors de question

...Ma mère insista. Alors il finit par aller voir le directeur, qui refusa d'annuler la peine...

NTT !

... puis finit par accepter contre de l'argent.

NE SÈCHE PLUS JAMAIS L'ÉCOLE !

Seuls les minables et les bons à rien sèchent l'école.

Pense aux enfants condamnés qui n'ont pas eu la chance d'avoir un père qui a payé pour eux !

Je ne paierai plus jamais pour te sauver.

Parfois, mon père soulevait le coin d'une copie pour voir un nom...

C'est juste pour que je ne sois pas trop dur avec un de mes chouchous.

C'est tout.

La frontière libanaise se situe à une quarantaine de kilomètres à vol d'oiseau du village de Ter Maaleh.

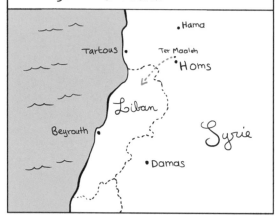

En 1986, c'était encore la guerre civile au Liban. Des groupes s'affrontaient épisodiquement, mais la circulation était possible.

Tu veux conduire, Riad ?

Tarek et sa femme nous faisaient découvrir la région.

Viens, passe devant !

Et voilà !

ATTENTION JE LÂCHE LE VOLANT !

Sois prudent Riad, va pas tous nous tuer !

Je conduisais vraiment !

Regarde quel conducteur exceptionnel tu fais !

Tu as la conduite dans le sang !

Nous nous sommes garés dans un virage, en haut d'une côte.

Venez voir le panorama...

WOUUU

C'est la plaine de la Bekaa !

Et là-bas, tout là-bas à l'horizon, il y a Homs et Ter Maaleh !

Nous étions sur la montagne que je voyais du toit de notre maison !

Soudain, entre deux rochers en contrebas, j'aperçus des narcisses.

La beauté des fleurs, la puissance du panorama, le vent tiède... je sentis une pression sur mon thorax.

Je me mis à tousser.

Kheu   Kheu   Kheu   Kheu

Je courus offrir une fleur à ma mère.

Merci mon chéri ! Donne les autres à Sabah !

Merci!
Bisous!

Je tournai la tête sans faire exprès.

Elle a regardé si quelqu'un nous avait vus, puis elle a rougi.

Merci pour les fleurs!

Hi hi!

Nous sommes remontés en voiture et avons roulé vers Beyrouth.

Ah, le Liban! C'est les mafias qui dirigent tout ici! C'est les rois des Arabes, les Libanais, parce qu'ils sont corrompus, **MAIS** ils sont intelligents.

Le pays avait l'air plus moderne que la Syrie. Les rues étaient plus propres.

WAHHH! Tarek! Arrêtons-nous!

Bien docteur!

MERCEDES-BENZ

Ah, par Dieu!

Mon père regarda longuement la vitrine.

Achètes-en une, c'est le moment! On sera libres avec une voiture!

Achète, papa!

Achetez-la, docteur. Je vous fais sauter les taxes dessus à la douane, quand on rentre en Syrie!

Il roulait des yeux, se tordait la bouche.

TSSSFFF

Tout le monde attendait sa décision.

Allez! On ne vit qu'une fois!

TING TING

Il parlementa un bon moment avec le vendeur...

... puis ressortit.

C'est trop cher et il ne veut pas baisser le prix.... Je vais attendre....

Les Libanais c'est le vol incarné.

Comme vous voulez docteur! Alors en route!

Il était difficile de se douter que ce pays était déchiré par quatre années de guerre.

Tout me semblait normal, presque paisible...

Je me souviens juste d'un énorme hélicoptère militaire posé sur un terrain vague.

Les pales étaient comme des rasoirs

Ma mère avait sympathisé avec Sabah.

Ça fait du bien de laisser les enfants aux parents! On peut souffler...

Elles parlaient en anglais et se comprenaient très bien.

J'ai aussi pris des cours de français quand j'étais petite

Ah oui? ...

La France est une GRANDE amie des chrétiens d'Orient. Une grande amie. Elle les protège. Tous les chrétiens aiment la France !

" VIVE LA FRANCE!"

Tu vois, Riad, avant, la Syrie faisait partie de l'Empire ottoman (c'était les Turcs). Un grand empire mais qui s'est effondré parce qu'il était dirigé par des minables...

Après la Première Guerre mondiale, les Européens se sont partagés l'Empire ottoman (qui s'était allié à l'Allemagne). Les Anglais ont pris la Mésopotamie, et les Français la Syrie et le Liban...

C'est les Européens qui ont tracé les frontières de la Syrie, de l'Irak, du Koweït... C'est les accords de Sykes-Picot. Les Arabes, ils ont rien choisi, ils étaient soumis aux nouveaux occupants...

Et la technique des Français et des Anglais, ça a été de donner le pouvoir aux minorités pour qu'elles se protègent face aux majorités. Au Liban, le président doit être chrétien, le premier ministre sunnite, etc. En Syrie, c'est les chiites qui commandent les sunnites...

En Irak, c'est l'inverse la majorité de la population était chiite alors ils ont mis les sunnites au pouvoir...

C'était logique. Comme les gens pensent tous avoir raison, dès qu'ils sont en majorité ils commencent à tuer ceux qui pensent pas comme eux.

HIHI!

Tu sais, Riad, ton père est un immense intellectuel.

C'est un honneur pour la Syrie que de l'avoir en son sein.

Rhooo n'exagérons pas...

Si. Si.

Combien de sunnites de Ter Maaleh iraient à un baptême de chrétiens? Zéro. Sauf vous: la tolérance même.

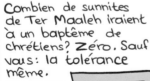

OH! ÇA ALORS!

Un supermarché, comme en France!

Eh oui, le Liban, c'est moderne.

PRISUNIC

C'était incroyable de voir une grande surface ici. Ma mère proposa d'y faire un tour.

Pourquoi y a pas de supermarchés comme ça en Syrie?

Y en a qu'un seul au Liban, alors n'exagérons rien ...

Il n'y avait presque personne à l'intérieur. Les néons du plafond éclairaient faiblement le magasin.

Cela sentait l'eau de Javel et le métal des étagères →

Il est moins bien qu'en France, mais si on avait ça à Ter Maaleh ça serait génial!

Les rayons étaient à moitié remplis →

Ma mère acheta de la lessive, du riz Oncle Ben's, du camembert, et quelques autres produits. J'insistai pour aller au rayon jouets,

Qu'est-ce que tu veux faire au rayon jouets?

Moi je t'achète rien!

Juste pour voir!

Dans le fond il y avait un tout petit rayon avec des nounours, des voitures en plastique et une grosse pile de tablettes bizarres.

Elles étaient posées sur un carton →

Il s'agissait d'une sorte de tablette à dessin.

Quand on dessinait sur la surface avec une pointe ou le doigt, ça marquait

Quand on baissait la molette, le dessin disparaissait.

C'était de la magie pure

TCHAK!

Je veux ça!

NON! ET MOI, EST-CE QUE J'AI PRIS LA MERCEDES? PSCHTT! ALORS FAIS COMME MOI!

ÉCONOMISE!

Et repose.

Je lui offre, docteur, ça me fait plaisir.

Noooon! Il est trop gâté...

Si, si, j'insiste. Ça lui fera un souvenir.

Il n'y avait qu'une seule caisse ouverte.

180 livres, monsieur!

En français

Comment ça va monsieur? Vous êtes français n'est-ce pas?

Au Liban, tout le monde parle le français!

PFFF 180 livres pour rien... C'est gâché...

En français

Nous sommes retournés en Syrie. La voiture de Tarek ne fut pas contrôlée par les douaniers.

Les militaires le saluèrent avec affection.

Même moi je me sentais aimé par eux!

Je ne tenais plus. Je demandai à Tarek ce qu'il faisait dans la vie.

Riaaaad! Je t'ai déjà dit, Tarek est un homme important qui travaille avec le président, c'est tout...

Tarek me fit un clin d'œil et ouvrit la boîte à gants.

Il me tendit un album photo.

L'album contenait des photos mal cadrées du président Assad. Tarek était derrière lui sur toutes les images.

On les voyait dans un stade...

... dans la rue...

... avec des militaires ...

... des hommes politiques...

... et même en voiture

Tarek protège le président Assad. C'est son garde du corps.

GARDE DU CORPS ?!? WAAAHHH!

Nooooon... On est plein à le protéger, il n'y a pas que moi... On s'occupe du président quand il sort... Pour que tout se passe bien...

Il est comment le président Assad ? Il est gentil ? Est-ce que c'est un bon musulman ?

R...Riad... ha ha...

HAHA!

HAHA! Bien sûr, il est TRÈS TRÈS gentil. Comme tous les grands hommes, il est resté simple. Et bien sûr, c'est un homme très pieux.

Mais il aime et respecte toutes les religions.

C'est pour ça qu'il est PRÉSIDENT !

On pourrait très bien ne pas être là. Personne n'est jamais agressif avec lui. Tout le monde l'aime.

En fait, notre métier est surtout d'empêcher les gens qui l'aiment trop de l'approcher

Les gens veulent tellement l'embrasser qu'il faut leur dire non...

Ça m'arrivait tout le temps aussi !

Je me demandais comment un homme aussi fluet pouvait être garde du corps.

Il souriait tout le temps et était à peine plus grand que mon père.

Cela me bouleversait de savoir qu'une seule personne me séparait du président Assad.

Et cela m'impressionnait complètement que cet homme si important soit fasciné par mon père.

Seul un homme exceptionnel pouvait intéresser les plus hautes sphères du pouvoir !

ET J'ÉTAIS SON FILS.

Mon père ne disait jamais de mal d'Assad. Il se sentait plutôt stimulé par son exemple.

Damas semblait l'endroit le mieux entretenu de Syrie

Il voyait le président comme un meilleur élève que lui...

On pourrait habiter dans un de ces beaux immeubles !

Patience chérie... Patience...

...mais considérait qu'ils étaient tous deux de la même trempe.

Bientôt, nous aurons mieux !

Nous sommes allés visiter la Grande Mosquée des Omeyyades...

C'était magnifique

Les femmes devraient se voiler la tête pour entrer

...puis le souk.

Il ressemblait à celui de Homs mais en dix fois plus grand

Je demandai à mon père où était l'université.

Ah, c'est pas dans le coin !

Que dit votre fils, docteur ?

Il demande où est l'université...

TU N'Y ES JAMAIS ALLÉ ?

RIAD !

Il faut lui montrer ce lieu exceptionnel où travaille son père ! Voyons, docteur !

ALLONS-Y !

Après vingt minutes de route, nous nous sommes arrêtés devant un bâtiment plutôt moderne.

C'était donc là que mon père venait chaque semaine, vêtu de son costume !

Il s'agit d'une des meilleures universités du monde !

Il n'y avait pas d'élèves dans les couloirs.

Cela sentait l'eau de Javel et la cigarette

Le sol était jonché de mégots récents

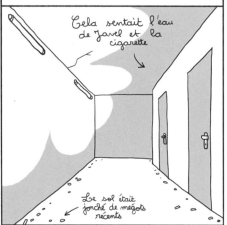

Nous avons croisé un homme aux cheveux blancs.

Bonjour docteur, ça va ?

B'jour

Mon père fit comme si de rien n'était, mais il avait été vexé de ne pas se faire appeler "docteur" en retour par ce type.

Il est fort comme docteur ?

Nooon il est nul et vieux ...

Je lui dis bonjour car je suis poli avec les minables! Rappelle-toi ce que je t'ai dit!

C'est joli cette université, non?

Nous avons croisé d'autres types en costume. Mon père ne leur dit pas bonjour.

Bon, on va pas passer dix ans ici, on a vu... Les amphithéâtres sont fermés.

Portaient-ils une jelabah chez eux le soir aussi?

Tarek était ravi.

Le futur du monde arabe grandit entre ces murs.

Ma mère eut soudain des vertiges.

Il faut t'asseoir un peu.

Allons dans mon bureau.

Nous sommes revenus en arrière. Nous étions passés devant son bureau, et il ne nous l'avait pas montré!

Odeur de tabac froid

Ça va, ça va.

Je n'en revenais pas. Son bureau était sale et sentait mauvais. Mon père faisait comme si de rien n'était.

C'est tout petit ici, papa !

On s'en fiche ! J'y suis jamais, je le partage avec un autre...

Soudain, la porte s'ouvrit. Le docteur aux cheveux blancs qu'on avait croisé entra dans le bureau. Il prit une enveloppe dans un tiroir et sortit.

En tout cas, Riad, moi je suis étudiant de ton père, cette année. Et ça a été la meilleure année d'études de ma vie, par Dieu.

Et j'espère réussir mes examens haut la main !

Je rêve d'être docteur, moi aussi.

C'est ainsi que je compris que son invitation au baptême, sa gentillesse et ce voyage étaient des cadeaux pour corrompre mon père. Il m'a avoué plus tard que Tarek n'était venu qu'une seule fois à l'université : le jour de l'examen. Il avait écrit son nom et celui de mon père sur sa copie, qui était restée blanche.

Chapitre 15

Allez! Il est temps d'aller à l'école!

Nous étions venus en France pour l'accouchement de ma mère, qui était imminent.

Nous habitions chez ma grand-mère

Tu vas voir, la maîtresse est très gentille. Elle a dit que si tu avais des lacunes, elle prendrait du temps pour toi.

HAHA HA

Regardez, cette nullité! Haha!

Odeur de chocolat industriel

Il y a une seule classe dans l'école, avec toutes les sections dedans, c'est pratique, elle te baissera de section si tu n'as pas le niveau.

Désolée je n'ai pas de section assez basse pour le débile léger qu'est votre fils

Mon père était resté en Syrie. C'était la rentrée universitaire. Nous étions en octobre.

On va te défoncer sans raison!

C'est Charles qui va t'emmener.

J'entrais directement en CE2. Qu'allait-il se passer?

Moi aussi je suis allé à l'école, comme toi, tu sais... Ça ne s'appelait pas le CE2...

Charles, le compagnon de ma grand-mère, était très gentil.

J'avais ton âge en... attends... 1923! Mon Dieu... Qu'est-ce que ça passe vite, le temps ...

Ma mère avait décidé de passer les trois mois suivant son accouchement en Bretagne. J'avais donc été scolarisé.

L'institutrice vint me chercher à l'entrée.

Bonjour Riad, je suis madame Loiseau, la maîtresse.

J'étais fasciné par sa peau très ridée et son apparente absence de menton.

Ses yeux étaient minuscules dans ses lunettes →

Je me suis planté dans la cour et je n'ai pas bougé.

Les enfants avaient tous des chaussures à lacets et des cartables. Ils ne portaient pas de blouse et leurs vêtements étaient propres et colorés.

Nous sommes entrés en classe sans chanter d'hymne national.

Des filles glaussaient en me regardant.

Je fis aussitôt ma tête de Conan ↓

La salle était très claire. Le sol était en bois. Il flottait une odeur très rassurante de cire et de poussière. Les murs étaient décorés de dessins d'enfants et de cartes géographiques.

Tiens, Riad, mets-toi devant!

Tu es tout seul en CE2!

La maîtresse me présenta en disant que je venais de Syrie.

Comme on le voit sur cette carte, la Syrie est un pays méditerranéen.

C'est un pays qui paraît-il est magnifique et qui est situé, dans une région qu'on appelle?

Quelqu'un sait?

Le Moyen-Orient!

Très bien.

Des élèves de CM1 se mirent à chuchoter.

Yaouen! Gurvan! ON SUIT UN PEU!

ELLE NE LEUR DONNA AUCUN COUP DE BÂTON! Son ton ferme avait suffi.

La maîtresse me donna des cahiers, des crayons, et des livres d'école. Tout était gratuit!

Le livre semblait très ancien

La classe était divisée en quatre sections.

Quatre filles et deux garçons en CE1

Moi en CE2

Deux garçons en CM1

Deux garçons et deux filles en CM2

Les grands avaient des visages plutôt bienveillants.

Les petits semblaient plus craintifs.

La maîtresse écrivit des phrases au tableau et demanda aux élèves de les lire chacun leur tour.

Le... peuuu... Tiiiit... Chhh... iiii... en... est...

Le petit

Trop facile l'école française!

Quand ce fut mon tour, je lus les phrases parfaitement.

Tu lis comme un CM2!

Le

Je fis quelques tests de français et de mathématiques. Je savais répondre à tout.

Ta mère a fait du bon travail! Je suis très impressionnée

J'avais la sensation d'être exceptionnel

À la récréation, nous sommes restés sous le préau car il pleuvait.

Pratique, ce toit, pour ne pas être mouillé...

J'avais extrêmement peur de parler aux autres enfants. Je craignais qu'ils se moquent de moi.

Je tournais en rond en feignant la décontraction

Riaaaad! Riaaaad! Pourquoi tu parles paaaas?!

Tu parles Paaaaas!

FERME TA GUEULE!

Où avais-je appris cette insulte? Personne ne l'utilisait dans ma famille.

HAAAAAAN! LE GROS MOOOOT!

Elle souriait!

Je compris que j'étais allé un peu trop loin. Je me mis alors à rire frénétiquement.

T'ES PAS BIEN! Pourquoi tu m'as dit "Ferme ta gueule"?

Hiiiiiiiii Hiiiiii

HA HA HA HA

Le midi, les enfants déjeunaient à la cantine. C'était une sorte de restaurant pour enfants où je ne suis allé qu'une fois.

Des personnes habillées en blanc nous mettaient la nourriture directement dans l'assiette

Il y avait de la purée de patate qui sentait la vapeur d'eau.

Cela n'avait pas de goût

Et une sorte de cube jaune à croûte mouillée, sans goût non plus.

Cela s'appelait "le poisson pané"

Les autres enfants avaient l'air d'aimer. Certains reprenaient même des cubes jaunes.

Cette fille ne mangeait rien en regardant son assiette, par contre

Ensuite il y avait un yaourt à la vanille et une clémentine.

Le yaourt ressemblait au labné en plus doux (très bon)

Après le repas, nous sommes allés dans la cour des grands.

L'instituteur des CP et notre maîtresse faisaient des allers et retours en discutant.

La maîtresse habitait une maison qui était collée à l'école.

Elle avait un perroquet

Parfois, la porte s'ouvrait et une femme très âgée en sortait.

Elle était comme la maîtresse en très vieux

Elle mettait dix minutes à traverser la cour et à sortir dans la rue.

C'est la maman de la maîtresse! Elles habitent ensemble!

Elle fait un peu peur

Il y avait un arbre immense près du muret.

Il avait soulevé le goudron

Le sol était plein de graines feuillues.

Regarde!

C'est un hélicoptère!

Comme en Syrie, les garçons jouaient au foot. L'ambiance était moins agressive. Les filles étaient exclues de la partie.

Je m'essoufflais très vite et dès que je courais, j'avais envie de faire pipi.

PASSE!

Les filles jouaient à la marelle...

...ou à la corde à sauter.

Elles faisaient des mouvements très gracieux.

Tu veux essayer?

Oh ouais!

Ce fut une immense révélation. Je devins une fille comme une autre.

À force de me voir faire de la corde à sauter, d'autres garçons s'y intéressèrent.

Madame on voudrait avoir des cordes à sauter aussi, nous!

Ah oui? J'en ai.

Cela devint une sorte de compétition.

22! 23! 24! 25!..

J'étais assez bon.

47! 48! 49! 50!

Même la maîtresse s'y est mise.

Mais le seul vrai jeu qui réunissait les garçons et les filles était le ballon prisonnier.

VAS-Y RIAD EXPLOSE-LES!

Deux équipes se jetaient la balle à tour de rôle. Si on était touché sans attraper le ballon, on était éliminé.

OUAiiiiiiis!

Chez beaucoup d'enfants, il y avait un temps de latence entre le moment où ils voyaient le ballon foncer sur eux...

... et le moment où ils commandaient à leurs muscles de l'éviter.

BLAM!

Moi, j'esquivais toutes les attaques.

J'étais toujours le dernier survivant de mon équipe

Les élèves ne parlaient jamais de Dieu ni de religion à l'école.

La maîtresse ne parlait pas de politique non plus

Le vent

Il n'y avait aucun musulman dans le village.

L'école finissait à 16 h 30 tous les jours.

Les voitures des parents se garaient devant

Si la maîtresse dépassait un peu, certains parents klaxonnaient pour qu'elle libère les enfants.

Ça la déprimait complètement

TUT-TUT TUUUUT!

Le vendredi c'était la fin de la semaine pour moi.

Tu vas au catéchisme demain matin?

Non, c'est quoi?

C'est pour apprendre la Bible et tout avec le Seigneur...

C'est dans une autre école où y a le curé, il nous raconte Adam et Ève et tout, c'est TROP BiEN

Même si le curé est très sévère, parce que dès qu'on fait une bêtise, il dit que Jésus va mourir par notre faute encore et encore...

En plus qu'il est déjà mort, Jésus... Alors nous, on fait pas de bêtises, parce qu'on veut pas le retuer avec nos mauvaises actions.

Je ne comprenais rien

Nous n'appelions jamais mon père, et lui non plus, car ça coûtait trop cher.

Il ne me manquait pas du tout.

Tu veux un sandwich au saucisson pour le goûter?

Oh oui tiens!

J'étais même plutôt content qu'il ne soit pas là, et je me sentais un peu coupable de le penser.

crunch crunch crunch

Je dessinais beaucoup de scènes de barbarie.

Je ressentais le plaisir de la découpe.

Ouh là! C'est violent mais c'est beau!

C'est TRÈS BIEN FAIT.

TRÈS TRÈS.

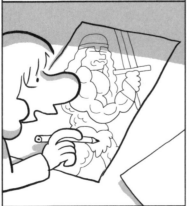

J'aimais beaucoup recevoir des compliments pour mes dessins.

C'était ma principale motivation.

Comment une famille comme la nôtre a pu produire un artiste de si grand talent? MYSTÈRE.

Cela la préoccupait vraiment!

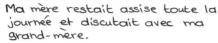

Ma mère restait assise toute la journée et discutait avec ma grand-mère.

Je voulais plus d'enfant, et voilà celui-là qui arrive!

Ohhh! C'est bien, un bébé!

Oui, mais c'est plus possible, la vie en Syrie... C'est le Moyen Âge ce village

Comment je vais faire avec trois gosses...

Revenez vous installer en France, enfin!

Oui, c'est ce qu'on va faire. Abdel a changé, il se rend bien compte qu'on peut pas continuer comme ça.

Il s'entend plus avec sa famille... On va rentrer en France et je vais chercher du travail.

Tu m'as déjà dit ça! Mais à chaque fois, c'est un an, puis un an, puis un an...

À ce rythme, je serai morte que vous serez toujours dans ce village...

Ha ha mais non, cette fois c'est bon...

Après l'accouchement, on retournera en Syrie juste pour finir l'année scolaire...

.... et Abdel cherchera un poste en France.

Quelque temps plus tard, mon grand-père vint nous rendre visite avec sa nouvelle compagne.

Salut camarade!

C'était la première fois que mon grand-père et Charles se rencontraient

J'avais du mal à croire que ma grand-mère et lui aient pu être mariés.

Ton grand-père m'a dit que tu aimais les animaux alors je t'ai amené ce livre sur les reptiles

On revient tout juste de Bora Bora, c'était magnifique.

LE MONDE DES REPTILES

Ils étaient très différents.

Bora Bora? Moi ça me ferait bizarre de me baigner dans de l'eau trop chaude... J'aime que la Manche.

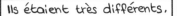

La Bretagne, c'est joli, mais moi, il me faut le soleil!

Faut que je sois à poil au soleil.

Vint le moment où tout le monde se mit à parler de mon père et de notre vie en Syrie.

Ah! Vous allez rentrer! Très bonne nouvelle! Riad et Yahya sont tout maigres!

Leurs visages devenaient graves.

Il était brillantissime quand il passait sa thèse! Qu'est-ce qu'il est allé s'enterrer dans ces pays du tiers monde...

Là, il a fait une très mauvaise récolte de fruits... Cette fois on va rentrer sans aucun doute!

LE MONDE DES REPTI

Sans aucun doute Sans aucun doute...

On espère...

Mon grand-père détestait les religieux.

Écoutez-moi bien les enfants! ATTENTION aux personnes qui vous demandent de "croire" en quelqu'un ou quelque chose.

Si vous les observez bien, vous verrez que c'est LEUR intérêt que vous vous mettiez à croire... pas le vôtre!

Les religieux, c'est la vraie malédiction de l'humanité!

Ma maman à moi, elle était "médium". Elle faisait tourner les tables.

ELLE POUVAIT PARLER AUX MORTS.

C'est vrai! Je l'ai vu de mes yeux!

Et elle disait toujours: "Le paradis, l'enfer, c'est des bêtises. Je le sais parce que LES MORTS ME L'ONT DIT!"

"Il y a quelque chose après la mort, mais ça doit rester SECRET." Elle m'a jamais dit ce qu'il y avait! Ma pauvre maman, elle était bien gentille.

LE MONDE DES REPTILES

Après le restaurant, mon grand-père et son amie retournèrent à leur hôtel. Nous rentrâmes au cap Fréhel de notre côté.

Je demandai à ma grand-mère si elle croyait en Dieu.

Boh, non. Comme ton grand-père détestait les curés et qu'il voulait tous les pendre, on s'en est jamais occupés.

Mais toi, je t'ai fait quand même baptiser en SECRET!

AH BON? JE SAVAIS PAS!

Ben j'te l'dis.

Ça m'fait tout drôle de savoir que je suis baptisée...

C'est à cause du curé...

C'est quoi "curé"?

C'est des hommes qui ont pas le droit d'aller avec des femmes et qui aiment Jésus.

Ton père, il m'aurait tuée s'il avait su!

Il est pas au courant?

BIEN SÛR QUE NON!

Un jour, quand t'étais bébé, je me promenais dans le village, et j'ai croisé le curé, tout en noir...

Il m'a vue et m'a dit: "Mais je ne vous ai jamais vue à l'église avec votre petite..." et j'ai dit: "Non, nous ne sommes pas croyants..."

"Ah oui? Et savez-vous ce qui arrive aux enfants non baptisés qui meurent?"

N... Non?

"ILS FINISSENT SEULS DANS LE NÉANT!"

"Baptisez votre fille! ET ELLE SERA SAUVÉE!"

J'ai eu tellement peur! C'était hors de question que ma fille finisse toute seule dans le néant!

Alors un jour, je suis allée à l'église et le curé t'a baptisée vite fait.

On sait jamais, si Dieu existe... t'es tranquille.

Après avoir travaillé à Paris, ma grand-mère était venue passer sa retraite là où elle avait grandi : au cap Fréhel.

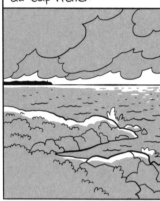

Il y avait beaucoup de paysans qui vivaient là.

Les tracteurs étaient plus modernes qu'en Syrie. Ma grand-mère connaissait tout le monde.

C'est Koulmig, le fils de Fanchon ! C'est un gentil garçon. Il s'occupe de la ferme de ses parents tout seul.

Vous voyez ces trucs de chaque côté du tracteur ? C'est pour bien épandre les engrais et les pesticides, pour protéger les plantes.

C'est très difficile d'être agriculteur ! Koulmig il a fait le lycée agricole, faut être très bon en sciences.

On va aller dire bonjour à Fanchon justement, elle vous a jamais vus depuis votre naissance !

C'est sa ferme juste là !

Nous arrivâmes devant chez elle.

BAM ! BAM !

FANCHON ?

Elle est sourde

FANCHON ! ES-TU LO ?

BAM ! BAM ! BAM !

Après avoir discuté un moment, nous sommes retournés à la maison par le petit chemin.

Fanchon et moi, on jouait toutes les deux quand on était petites !

Nous sommes passés par le portail du fond du jardin.

La pelouse était détrempée.

C'est une source qui se réveille de temps à autre !

PLOTCH PLOTCH

Allez ! Au goûter !

Le secret c'est de mettre beaucoup de camembert dans le pain et de beurrer des deux côtés.

Le gras c'est EXCELLENT pour les enfants.

Tiens.

DING DONG

?

Bah ? C'est Fanchon !

Dis! J'ai oublié taleur, mais y a ma chatte qu'a fait des p'tits! T'en veux-t-y pas un?

Gad' Riad les beaux p'tits chats!

Quatre chatons gigotaient dans le sac.

Oh mamy, on en prend un?

Gad'! On dirait toi en chat!

Non, merci Fanchon! J'préfère les chiens!

Ouiiin!

Les chats, j'ai jamais su trop comment faire!

Bo c'est po grave!

ouiin

Ma grand-mère est retournée dans la cuisine. J'ai regardé Fanchon partir.

Elle a dépassé la poubelle, puis est revenue sur ses pas pour poser le sac.

BANG!
BANG!
BANG!
BANG!

Je suis allé le dire à ma grand-mère.

Rhaaa! Si elle tue ses chats, qu'elle les jette pas dans ma poubelle!

J'vais les lui rendre elle doit pas être loin...

Et voilà! Rho la Fanchon, elle est gentille mais quelle pécore...

Son mari, le Jeannot, il allait à la chasse. Maintenant, il peut plus parce qu'il est vieux, mais avant, il se promenait partout avec son fusil pour tirer le lapin.

BANG

Il avait plein de chiens qui chassaient avec lui. Ils allaient lui chercher les proies quand il les avait tirées.

wiif
woof

Ça, il les aimait ses chiens.

HOU L'GROS PÉPÈRE !
HOU !
HFF

Eh ben quand y en avait un qui était devenu trop vieux, il l'attachait à sa charrette, et il s'entraînait au tir dessus.

BOUGE PAS GROS PÉPÈRE...
HFF
?

Des chiens qu'il avait depuis dix ans ! Je l'ai vu de mes yeux.

Mais ça c'est rien. Quand il s'est rendu compte qu'il tremblait trop pour viser et qu'il pouvait plus tenir un fusil...

Eh ben il a vidé ses cartouches à bout portant sur ses chiens. Après, il les a mis à l'équarrissage et il a vendu son fusil.

BANG BANG BANG

Je lui ai dit : "Mais pourquoi que t'as fait ça à tes chiens ? J'croyais que tu les aimais..." Et là, y m'a répondu...

"Bah ! J'pouvé pu chasser ! Kekj'en aurais fait ?"

Quelque temps plus tard, il y eut une grande tempête au cap Fréhel.

WOOooooOoooo Oo

Le toit craquait et des branches tapaient sur les volets.

WOOooooo

CRRAKK! TK!

Mon frère dormait. L'électricité était coupée.

WOOoooo

CRAK! FRRR!

cuc! cuc!

Ma mère n'était plus dans son lit. Je me suis levé.

WOOooOOOooo

WOOOoooowoooOOOoooooo

Le courant est coupé à cause du vent!

Je sens que ça vient! Charles va m'emmener à la maternité à Saint-Brieuc... Sois bien sage!

Saint-Brieuc est à quarante-cinq kilomètres du cap Fréhel!

J'ai toujours rêvé d'être pilote de course, alors c'est pas une tempête qui va me faire peur!

Ils sont partis.

Je suis resté avec ma grand-mère. Nous avons bu un citron chaud.

J'ai horreur de la tempête! Tu sais ce qui m'est arrivé ici, quand j'avais ton âge?

Il y avait un lit, là, avant.

On y dormait avec ma mère. Une nuit, il y a eu une tempête, comme cette nuit. Il y avait du tonnerre et des éclairs terribles.

Maman dormait, mais moi, j'étais réveillée.

J'avais comme l'impression qu'un truc ÉTRANGE allait se passer!

Soudain, le vent a baissé et le tonnerre s'est calmé.

Maman a commencé à parler breton dans son sommeil...

... ET LÀ Y A EU UNE GRANDE LUMIÈRE!

UNE BOULE DE FEU EST ENTRÉE DANS LA MAISON PAR LA CHEMINÉE!

Elle tournait sur elle-même et faisait un drôle de bruit. Jamais j'oublierai.

FCHiiiiii
VKK

J'ai reveillé maman, et elle s'est mise à faire le signe de croix!

FCHiiiiii

La boule a fait trois fois le tour de la pièce...

FCHiiiiii

... et elle est repartie par la cheminée.

FCHiiiiii

Cette cheminée-là.

WO

Ça fait soixante ans que quand y a une tempête, je regarde ce trou en me disant: "Faites qu'une boule de feu ne ressorte pas de là!"

TRRR
WIIIIOO

J'espère que l'accouchement va bien se passer et qu'ils vont pas mourir dans un accident!

Le lendemain matin, je me suis réveillé tôt et je suis descendu dans le salon.

Bonjour Riad! Bien dormi? Tout s'est bien passé cette nuit, tu as un nouveau petit frère! Il est très mignon.

Il paraît qu'il est très blond et a encore plus de cheveux que toi.

Nous sommes partis en voiture pour Saint-Brieuc.

Il faisait très beau quand nous sommes arrivés à l'hôpital.

À l'intérieur, cela sentait une odeur que je ne connaissais pas: le propre et la mort.

L'odeur était partout, tout le temps!

Nous sommes entrés dans une petite chambre. Ma mère était au lit en train de lire Paris Match.

Votre frère est dans la petite boîte juste là. Il s'appelle Fadi!

Yahya et moi nous sommes approchés.

SATOUS
FADI

Il s'est mis à pleurer et on a vu quelque chose d'incroyable

Une dent!

ZOHIiiiinnn

C'est rigolo non? Il est né avec une dent! Comme Napoléon et Alexandre le Grand! Il paraît que c'est le signe d'un grand destin!

Et moi? Moi aussi je suis né avec une dent?

Ah non! Ni toi ni Yahya! Juste FADiiii

134

Chapitre 16

Trois mois plus tard, nous sommes retournés en Syrie. Mon père nous avait préparé une surprise.

La famille était venue nous chercher à l'aéroport!

YOUYOUYOUYOUYOUYOUYOUYOUYOUYOUU!

Mon père avait loué un minibus.

La moustache! J'ai horreur!

Je sais, c'était pour vous faire une plaisanterie!

Il s'était réconcilié avec sa mère.

Qu'il est beau mon fils avec sa dent!

Elle avait l'air très heureuse.

Smick

J'ai plusieurs excellentes nouvelles mais je ne vous les donne pas tout de suite!

On va vivre beaucoup MIEUX dans les mois qui viennent!

Et les garçons...

...vous allez tous les trois vous faire circoncire! Vous êtes contents? Vous allez avoir le même zizi que votre papa!

Pendant notre absence, ma grand-mère avait pardonné à mon père. Du coup, mon père avait fait quelques concessions. La circoncision en était une.

Nous sommes arrivés de nuit. Il n'y avait pas d'électricité dans le village

Vous avez vu ma torche toute neuve qui marche? C'est l'une des excellentes nouvelles que je voulais vous annoncer!

HAHAHA! MAIS NON, HUMOUUUUR!

Un bruit de moteur retentit...

VVRMRMRMRmRmRm

... ET TOUT S'ALLUMA!

On a un groupe électrogène maintenant!

On peut regarder la télé même pendant les coupures!

GÉNIAL!

VVRMRM RmRm

Au moment de me coucher, j'ai demandé à mon père en quoi consistait exactement la circoncision.

Tu vois la petite peau au bout du zizi ? Le circonciseur te la coupe, et après c'est fini !

COUIC !

Ça doit faire ultramal !

NOOOOON ! Ça pique un peu, c'est tout ! On ne sent presque rien !

Allez, bonne nuit !

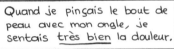

Quand je pinçais le bout de peau avec mon ongle, je sentais <u>très bien</u> la douleur.

Mon frère ne se rendait compte de rien.

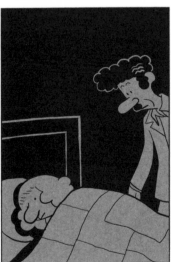

Une fois circoncis, tu vas devenir un homme, comme papa ! C'est une TRÈS GRANDE OCCASION !

Tu peux choisir un cadeau exceptionnel, et je te l'offrirai !

Oui... Parce que ça fait un petit peu mal de se faire circoncire, en fait...

Haha

Hem

Bon, d'accord. Tu auras ce Goldorak comme cadeau de circoncision.

YEEEE!

C'est bien d'être content. Nous, les croyants, nous sommes tous circoncis. C'est la tradition et il faut la respecter. Les croyants, c'est une grande famille et rien n'est plus important que la famille.

Sans famille, on n'est rien.

Nous avons fait quelques courses à Homs, puis nous avons repris le bus pour le village.

Tu vas l'acheter quand le Goldorak ?

Je reviendrai ! Il sera toujours là, qui achèterait un jouet à ce prix ?

À part moi...

Tiens ! Ce bon vieux Tamer ! Comment vas-tu mon frère ?

Sa... Salut à toi père de Riad...

Nous nous sommes assis devant lui. Tamer ne disait rien. Il avait peur que mon père fasse le serpent, et l'humilie une nouvelle fois devant les passagers. *

Tiens, au fait Tamer... Écoute mon fils réciter la première sourate du Coran !

Vas-y Riad.

Je m'exécutai. Tamer m'écouta avec fascination.

Quelle merveille, par Dieu ! Un jeune aux cheveux dorés de mère française, déjà si pieux !

Mais dis-moi, Riad, préfères-tu ton père ou ta mère ?

Ben euh... ma mère.

* Voir L'Arabe du futur, tome 1

OH! Euh! Moi je descends là!

MAIS? POURQUOI T'AS DIT ÇA?

Ben chais pas

Même si c'est pas vrai, fallait mentir et dire "Mon père"!

Chez nous les Syriens, les garçons préfèrent toujours leur père!

Rhaaa! Qu'est-ce qu'ils vont dire les gens!

"Ma mère gnagna gna"

C'est les filles et les bébés qui préfèrent leur mère...

Nous sommes descendus du bus. Mon père marchait devant.

Snfff

Je sentais que, pour lui, il était temps que je devienne un homme.

Cette nuit-là, je fis un rêve où j'étais dans un labyrinthe...

Deux taureaux me fonçaient dessus...

...mais une main géante me saisissait et me sauvait au dernier moment.

C'était Goldorak.

DÉSOLÉ, PAR DIEU. JE DOIS TE LE PRENDRE.

Mon zizi était dans son autre main!

BOM BOM BOM BOM BOM BOM BOM BOM

Il était toujours là.

Les semaines passaient. La circoncision se rapprochait, mais j'évitais d'y penser.

L'âne sur lequel nos voisins lançaient des pierres était mort. Son cadavre avait été abandonné près de la rivière. ✱

Nous faisions toujours un détour pour l'observer. Son corps, qui pourrissait peu à peu, nous fascinait.

Un jour, j'ai lancé une pierre sur son cadavre pour voir ce qui se passerait.

Elle resta collée à son crâne !

J'ai encore un peu honte d'avoir fait ça, aujourd'hui

Beuark !

Mes cousins étaient très heureux que je me fasse circoncire. Pour eux, cela signifiait que je n'étais définitivement pas juif.

Moi je dis : les Cimmériens sont circoncis, c'est sûr.

Ouais je pense aussi

Je leur demandai comment cela s'était passé pour eux.

On s'en rappelle pas, on était trop petits... Mais il paraît que la circoncision, c'est comme la roue de la douleur de Conan. C'est dur, mais une fois que tu l'as faite, t'es un homme. Un vrai.

✱ Voir L'Arabe du futur, tome 1

144

La seule chose qui me rassurait était que, depuis quelques jours, il y avait un énorme carton dans l'armoire du débarras.

Le Goldorak

Mais un jour, mon père me surprit.

Qu'est-ce que tu fais là ?

Je regarde le cadeau de ma circoncision !

De quoi tu parles ? C'est la boîte de mon **FUSIL** !

HiHi !

Tarek, mon élève garde du corps, m'a obtenu l'autorisation. On ira chasser cet été !

Les canons sont côte à côte, comme j'aime !

Écoute, quelqu'un l'avait acheté quand j'y suis retourné !

Tant pis !

T'es un homme, ça suffit les jouets !

Au fait pas un mot à maman pour le fusil ! Elle râlerait si elle apprenait que je l'ai payé 3000 dollars !

Le jour de la circoncision arriva.

Le salon s'était rempli de tous les hommes importants de la famille. Ils avaient des visages graves et bienveillants qui semblaient dire: "C'est un très mauvais moment à vivre, mais regarde-nous, on est tous passés par là".

Je ne les connaissais pas tous

On frappa à la porte et tout le monde crut que c'était le circonciseur.

Tarek! Merci d'être venu!

C'est tout naturel.

On dut l'attendre encore deux heures.

J'ai une idée! On a qu'à pas me circoncire!

HAHA ne dis pas de bêtises ...

TOC TOC TOC

Je pris l'expression de Conan.

Le circonciseur était le sosie syrien d'Arnold Schwarzenegger en plus âgé!

Le métier de ce type était de couper des bouts de zizis toute la journée

Comme le veut la coutume, il commença par raconter une histoire drôle pour se faire pardonner son retard.

Un Bédouin va à Homs chez un commerçant pour acheter une télé. Il se poste devant l'appareil qui lui plaît et dit: "Cette télé a l'air bien, elle coûte combien?" le vendeur lui répond: "Tu es Bédouin n'est-ce pas?" et l'autre: "Incroyable! Comment tu sais?" et le vendeur: "Parce que c'est pas une télé, c'est un frigo."

HAHA HAHA HAHA

Ensuite, quatre hommes m'entourèrent et mon père s'éloigna.

Il faisait une drôle de tête.

Il est sorti de la pièce...

Le mari de ma tante Khadija me banda les yeux et me tint les bras. Le circonciseur ouvrit sa sacoche en cuir.

Il avait mis un mouchoir sur le sol devant moi

Le foulard glissa au moment où le circonciseur coupa.

OUPS

Voici ce que je vis.

J'avais très mal. Mon regard est tombé sur Tarek.

Ma mère me raconta plus tard que mon père s'était enfermé dans le débarras pour pleurer pendant l'acte.

Mes frères aussi furent circoncis, mais je ne m'en souviens pas car je suis tombé dans les pommes.

Je me suis réveillé avec un énorme pansement autour du zizi.

Cela mit quelques mois à cicatriser car le rasoir du circonciseur n'était pas très propre.

Il va falloir te la couper complètement !

Haha mais non je plaisante...

Le médecin

Je dus rester à la maison quelque temps.

Il fallait marcher comme un cow-boy

J'expliquai à mon père que j'étais content de m'être fait circoncire, car comme cela on allait arrêter de dire que j'étais juif.

Hein ? Mais qu'est-ce que tu racontes ?

Les juifs aussi sont circoncis !

Je n'ai pas osé le dire à mes cousins. De toute façon, ils ne me parlaient plus de la circoncision...

... et ils ne voulaient plus parler de Conan le Barbare.

C'est un film interdit par le sacré que tu nous as fait voir, Riad ! Il montre des personnes dénudées !

Il ne faut plus jamais en parler !

Je n'ai jamais su l'origine de ce revirement.

Ma mère avait été très impressionnée par la circoncision, et avait décidé que c'était la goutte de trop.

Heureusement, mes frères avaient cicatrisé plus vite que moi

Un soir, mon père rentra de l'université...

... D'EXCELLENTE HUMEUR!

Ce fut le moment qu'elle choisit.

Il faut qu'on parle! Ça y est, stop, je ne veux plus vivre ici. Je veux qu'on rentre en France. Je veux un bel appartement, des supermarchés, de bonnes écoles...

LA SYRIE C'EST FINI!

Mon Dieu! C'est un signe du destin!

Quoi?

JE SUIS D'ACCORD AVEC TOI!

Il faut partir d'ici! Moi aussi j'en peux plus!

C'EST VRAI?

Oui! Ras le bol de ce pays corrompu où rien n'est possible! LA SYRIE C'EST FINI!

Alors tiens-toi bien et écoute ça: quand tu étais en France, j'ai prospecté et écrit à plusieurs universités DE HAUT PRESTIGE!

NON?!? OUAHHH!

Et aujourd'hui que tu me dis tout ça, j'ai reçu CECI!

C'EST ÉCRIT, C'EST LE DESTIN!

C'EST "MEKTOUB" COMME ON DIT!

À SUIVRE...

Riad Sattouf 2016

DU MÊME AUTEUR

L'Arabe du futur 1, 2, 3 & 4
Les Cahiers d'Esther tomes 1, 2 & 3
Allary Éditions

Pascal Brutal (4 tomes)
Fluide glacial

La Vie secrète des jeunes (3 tomes)
Manuel du puceau
L'Association

Retour au collège
Hachette Littératures

Les Pauvres Aventures de Jérémie (3 tomes)
No sex in New York
Dargaud

Pipit Farlouse (2 tomes, épuisés)
Milan

www.riadsattouf.com
f Facebook.com/riadsattoufofficiel
🐦 Twitter.com/riadsattouf
📷 Instagram.com/riadsattouf

Histoire, dessins & couleurs :
Riad Sattouf

Conception technique du livre et coordination éditoriale :
Charline Bailot

Corrections :
Jeanne-Zoé Lecorche

Merci à Rami Sattouf

Collection « Images » dirigée par Guillaume Allary

Achevé d'imprimer en décembre 2018 sur les presses
de l'imprimerie Loire offset Titoulet

© Allary Éditions
Isbn 978.2.37.073094.7
Dépôt légal : octobre 2016